Mon testament

Le feu de l'Alliance

André Chouraqui

Mon testament

Le feu de l'Alliance

Ce livre, écrit par André Chouraqui, a été réalisé à partir d'entretiens avec Alain Michel en décembre 2000 pour la fondation Hommes de parole ; 2, ruelle de la Vinaigrerie 1207 GENÈVE ; Tél. : 04.37.48.01.89 ; site : www.hommesdeparole.com.

ISBN 2.227.43911.4

3, rue Bayard, 75008 Paris

Liminaire

« J'aimerais aller beaucoup plus loin avec votre Fondation Hommes de Parole », ce sont ces mots qui me sont restées d'une longue conversation avec André Chouraqui que j'avais sollicité pour un entretien destiné à un livre sur le conflit israélo-palestinien. Ces paroles ont donné l'élan d'une relation fraternelle et mouvementée entre nous, origine de cet ouvrage « Le feu de l'Alliance ».

Avant cette rencontre, je connaissais peu André Chouraqui, je l'avais rencontré une seule fois quelques années auparavant lors d'une table ronde, où nous étions tous deux intervenants pour débattre de l'incontournable paix à laquelle juifs, chrétiens et musulmans sont destinés… Sa volonté de dialogue et d'alliance sans aucune forme de syncrétisme mais en conservant toute l'authenticité des traditions m'avait beaucoup impressionné. J'avais lu son autobiographie, *L'amour fort comme la mort*, et je connaissais sa notoriété due principalement aux traductions de la Bible, du Nouveau Testament et du Coran mais également aux dizaines d'ouvrages qui en font l'un des auteurs les plus prolifiques de notre siècle.

« Aller plus loin », c'était pour moi lui proposer la réalisation d'un ouvrage qui lui permettrait d'exprimer la synthèse de tout ce qu'il avait découvert au cours de ces années passées à écrire, traduire, réfléchir, souffrir, aimer. C'était en quelque sorte lui demander de nous offrir l'héritage spirituel que nous attendions tous. L'héritage de sa vie, de sa passion pour la vie. Je lui ai donc proposé de réaliser un livre à partir d'entretiens dont les dix commandements seraient la colonne vertébrale.

À Jérusalem, tous les deux nous avons discuté à bâtons rompus durant plus de soixante-dix heures. Discussions au cours desquelles nous avons débattu sans pudeur ni censure de tous les problèmes de notre société, de notre humanité, de notre spiritualité, pour tenter d'éclairer l'avenir, l'avenir de chacun, l'avenir de l'humanité. Avec moi, se trouvait une petite équipe pour enregistrer, filmer, transcrire. Chaque soir, nous faisions le point des discussions afin d'analyser les réponses d'André, les commenter et préparer les questions du lendemain.

Afin d'élargir le débat et lui permettre d'aller vraiment au fond de sa pensée et de ses convictions, lui permettre de connaître en profondeur les souffrances et les divergences d'autres témoins et de s'exprimer pour le plus grand nombre, je lui ai proposé plusieurs rencontres et dialogues avec des hommes de sensibilités différentes. Il a ainsi longuement dialogué avec Abed, un Palestinien musulman vivant et souffrant ainsi que toute sa famille en Israël. Cette difficile rencontre a permis à chacun d'exprimer souvent avec passion un point de vue très différent. Elle s'est poursuivie deux jours plus tard par un repas chez Abed au cours duquel ils se sont embrassés, chacun ayant compris la souffrance de l'autre. Il a également rencontré Haïm Tal, réalisateur de cinéma, spécialiste et contestataire de Tsahal, puis Gilles Darmon, un jeune entrepreneur, l'un de ceux qui feront l'Israël de demain. Il a aussi longuement dialogué avec Abu Sway, théologien musulman et professeur d'université à Jérusalem, et d'autres encore. Ces rencontres se sont déroulées dans un climat de grande cordialité mais sans complaisance aucune ; elles ont très largement contribué à ouvrir des portes qui étaient restées fermées.

La majorité des sujets ayant été abordés, nous avons cessé nos discussions au bout de six semaines, pour faire place à la retranscription des soixante-dix heures d'enregistrements. Je veux remercier Denis-Fabien Corlin qui a réalisé ce très important travail et apporté ensuite durant trois mois un concours indispensable à André Chouraqui qui devait reprendre ligne par ligne, pensée par pensée, réponse par réponse, tout ce qu'il avait exprimé. Reprendre toutes ces discussions, ces explications, ces propos parfois familiers afin de les ordonner en un ouvrage qui serait son testament spirituel, synthèse d'une vie, d'une pensée et d'une œuvre offerte à tous.

Je désire remercier André Chouraqui et lui dire à quel point j'ai été touché par sa confiance immédiate et sa grande amitié, par son courage aussi car le pari n'était pas facile à tenir et il a dû, certaines fois, éprouver de l'angoisse à nous voir débarquer le matin avec le matériel et la perspective de longues heures de travail, alors que, depuis dix ans, il ne rêve que de prendre enfin du repos. Je veux aussi remercier Annette sa femme qui chaque jour nous a accueillis avec un sourire et une gentillesse à toute épreuve. Au cours de ces six semaines, nous avons eu le sentiment de devenir petit à petit membres de la famille et c'est en tant que tel que je désire leur exprimer mon affection.

Alain Michel

Remerciements

Ce livre, qui synthétise ma pensée à partir des principales étapes de ma vie, n'aurait pu voir le jour sans cette rencontre avec Alain Michel qui m'a proposé de répondre, dans un langage simple, à toutes les questions qu'il souhaitait me poser concernant les grands problèmes d'aujourd'hui. Il est alors venu avec une petite équipe d'« Hommes de Parole » à Jérusalem pour des rencontres qui ont duré plusieurs semaines. Il m'a questionné, poussé à bout, interrogé, la quasi-totalité de nos entretiens était filmée et enregistrée.

Il m'a forcé à employer un langage neuf et pour cela il n'a pas hésité à me bousculer, à me faire rencontrer encore et encore des personnalités du monde chrétien, palestinien, musulman. Après plus de soixante-dix heures d'enregistrements, que Denis-Fabien avait intégralement transcris, j'ai repris l'ensemble du matériel et me suis mis devant mon bureau pour composer ce livre-testament, testament car il me permet de transmettre tout ce qu'aujourd'hui je désire léguer à l'humanité : « le feu de l'Alliance ».

Alain Michel, Denis-Fabien Corlin et l'équipe venue à Jérusalem ont mis sur pied une fondation « Hommes de Parole », dont l'intuition est remarquable : transmettre les points de vue d'hommes et de femmes de parole sur les grands sujets qui empêchent la paix dans le monde, apporter à tous l'éclairage manquant pour que chacun puisse comprendre et agir. C'est utiliser la communication sous toutes ses formes pour la mettre au service de l'avenir et de la paix du monde.

Merci à eux, à Georgy, Franck, Manu, merci aussi à Annette et Tania qui ont consacré de longues heures à relire le manuscrit pour permettre que soient apportées les précisions manquantes, et merci à Jean-Pierre Rosa, l'éditeur de Bayard qui, dès le premier jour, a fait entière confiance à Alain qui l'entraînait dans cette aventure dont il a accepté de prendre le risque.

André Chouraqui

Le feu de l'Alliance

Esh, en hébreu, désigne « le feu ». À travers les 379 occurrences de ce mot dans la Bible hébraïque, le feu symbolise la puissance à la fois créatrice et destructrice de la parole divine. Créatrice du ciel et de la terre dans l'ordre de la Révélation, la parole de I[Adonaï]HVH peut s'avérer dévastatrice si elle est trahie. Au cœur du Temple de Jérusalem, *Esh Tamid*, le feu perpétuel, était entretenu, rappelant la présence éternelle d'Elohîms à nos côtés. Ainsi en est-il de son correspondant asiatique Shiva, le Destructeur-Créateur, divinité tutélaire du panthéon hindou.

Berit, en hébreu, signifie « l'alliance ». Ce terme dérive de la racine *bara*, « créer », le premier des verbes du premier verset de la Genèse. Créer constitue fondamentalement un acte d'alliance. Il n'est pas de création, sortie de nos têtes et façonnée de nos mains, à laquelle nous ne soyons ontologiquement liés. Nous sommes tout entiers dans nos actes et nos réalisations. Cette unité créatrice dit ainsi que l'alliance est création. Nous existons par et dans ce lien créateur.

Le feu de l'Alliance nous rappelle sans cesse le pacte auquel l'homme adhère. De ce pacte il reçoit la Loi vouée à la gestion de l'équilibre de la Création. L'unité de la Création est garantie par le respect de la Loi garante de la pérennité de la Vie. Que cette Loi soit violée, que l'unité primordiale soit rompue, et la Création court à sa destruction.

L'homme de l'Alliance, s'il est fidèle, a le pouvoir merveilleux d'inscrire la Création dans la pérennité de la Vie. Mais s'il parjure, il condamne le Tout à sa destruction dans l'abîme de la mort, au feu de l'Alliance. C'est de ce pacte que ce livre voudrait se faire l'écho et le témoin.

Introduction

Tout homme est compris dans l'enfant qu'il était jadis. Natif des sables de l'Algérie coloniale, j'ai grandi pour donner naissance au vieil homme que je suis aujourd'hui. Aïn-Temouchent m'a nourri en son sein, m'a imprégné de tout son être. Là, j'appris à voir et à marcher, à regarder et à aimer, là mon être prit son envol pour me faire poursuivre les migrations de ma vie.

La petite communauté juive d'Aïn-Temouchent était un surgeon d'une communauté beaucoup plus ancienne, la communauté juive de Tlemcen. Mes quatre grands-parents sont nés à Tlemcen. Mes ancêtres, chassés de Judée par les Romains, ont erré à travers la Méditerranée pour s'installer en Andalousie pendant plusieurs siècles. Ils en partirent en 1392 pour vivre à Tlemcen, un royaume indépendant entre l'Algérie et le Maroc.

Très tôt la petite ville d'Aïn-Temouchent me révéla les beautés et les iniquités qui font de la vie sur terre un constant mariage des paradoxes auquel nous adhérons depuis notre premier cri, pour le meilleur ou pour le pire. À travers la douceur matricielle du gynécée de ma mère et de mes sœurs m'étaient révélés les charmes d'une nature clémente et aimante. L'âpreté prévalait dans les relations entre les hommes. J'y découvrais les ferments de la discorde qu'il me faudrait combattre pour laisser en la vie rayonner cette lumière dont elle est porteuse.

Microcosme du monde ouvert à mes bras, on aurait dit qu'Aïn-Temouchent avait convié en ses terres les divisions de l'humanité comme pour mieux me les faire connaître. Les plaies ouvertes de la fraternité blessée des hommes s'étalaient sous mes yeux et je m'interrogeais sur le remède adéquat.

La difficile cohabitation des colons et des colonisés, des Français et des Arabes, des Arabes et des Juifs, des autochtones et des immigrés, des juifs, des musulmans et des chrétiens, dans toutes leurs spécificités, me laissait prévoir les vertigineuses divisions dans lesquelles l'Algérie française allait disparaître. À Aïn-Temouchent, dont le nom signifie en berbère « la source des chacals », je voyais la colonie française se livrer à l'ivresse de ses conflits, à ces drogues qui la hantaient. Il n'était pas une semaine sans une altercation entre groupes opposés.

Sans cesse, la division s'ajoutait à la division. Alors les prêches du curé faisaient résonner à mes oreilles la douloureuse accusation d'assassin du Christ. Ma judaïté était le crime que mes épaules d'enfant devaient porter. Sans même savoir qui pouvait être le Christ, moi le jeune Natân André Chouraqui, je craignais les regards des fidèles de l'Église, si bien que malgré ma claudication, je n'hésitais pas à faire un long détour pour me rendre chez ma tante, à l'autre bout de la ville, et ne pas me risquer à passer devant ce clocher édifié pour illustrer mon crime. Mais au loin, j'entendais les cris contre les juifs au gré des sermons assenés à ses ouailles par le pasteur des Trois-Marabouts.

La décision de la IIIe République de faire des juifs des citoyens français, en vertu du décret Crémieux du 24 octobre 1870, ouvrait pour notre communauté des horizons incertains. Mes ancêtres avaient vécu en fraternité avec les musulmans, réalisant leur osmose sémitique au plus profond de leurs êtres. Dorénavant, les décrets de l'État français nous coupaient de nos racines. Mes grands-parents expliquaient à leurs voisins leur désarroi, les assurant de leur fidélité, et les plus compréhensifs répondaient : « Ne vous inquiétez pas, ça passera. » Mais il n'en fut rien et la société algérienne se scinda radicalement en colonisateurs français et colonisés musulmans, laissant les juifs dans une situation intermédiaire marginalisée. Cette situation ne pouvait que conforter l'extrémisme de certains Arabes à notre égard : *yahoud el kelb*, le « chien de juif », était condamné à disparaître dans les tourments de l'Algérie nouvelle.

Et l'on ne devient pas français si facilement ! Au lendemain du décret Crémieux, les juifs représentèrent un enjeu politique qui mit fin à leur tranquillité. L'agitation antijuive d'un Drumont, relayée en Algérie par l'action de Max Régis, laissait dans les cœurs une blessure que même des amitiés chrétiennes n'arrivaient pas à panser. Max Régis avait réussi à déchaîner des émeutes dirigées contre les juifs à Alger, Mascara, Mostaganem, Affreville, Sétif, Oran. Des synagogues avaient été profanées, des magasins pillés, des hommes blessés ou tués. Ces morts ternissaient la joie de notre adoption au sein de notre culture nouvelle, celle de la République française.

La gravité de nos vies était faite de notre solitude. J'ai passionnément aimé mon Algérie natale, Aïn-Temouchent, son ciel de feu, ses vignobles, sa terre rouge, épaisse, fertile, ses cactus et son azur, ses oliviers, la mer toute proche, ma Méditerranée, infiniment présente, nourricière. Des heures entières je nageais dans ses eaux ou m'offrais sur ses plages aux brûlures de son soleil. Ses rives, ses genêts, la variété de sa flore et de sa faune, ses aurores et ses crépuscules n'ont cessé d'inspirer et d'exalter mon adolescence. Je ne me suis jamais lassé de ses paysages comme de ses traditions et de sa culture, celle des peuples qui l'occupèrent dont je lisais l'histoire sur les pierres de nos cimetières.

Je haïssais le racisme de ceux qui ne surent jamais voir dans les Algériens que des « bicots », aveugles devant la noblesse de leurs traditions vivantes. La grande misère des masses n'effaça jamais une profondeur spirituelle que je ne me lassai pas de découvrir et d'admirer sur mes routes, dans mes conversations jamais décevantes avec ces hommes forts et humbles, vrais et douloureux témoins des réalités transcendantes de l'homme. Oui, davantage que de la haine, j'éprouvais du mépris devant le matérialisme d'une certaine bourgeoisie algérienne. Mon Algérie à moi était différente de celle des Arabes et plus encore de celle des colons. Elle se situait dans un au-delà sans âge, sans rapport profond avec le milieu où elle était plaquée, dans l'ignorance à peu près complète de ses racines.

Dès mon plus jeune âge, lorsque mes yeux commencèrent à s'ouvrir sur le monde, je voyais bien que nous étions d'ailleurs. D'un autre lieu : cette Jérusalem qui occupait nos pensées se trouvait fort loin d'Aïn-Temouchent, puisque nous tournions nos regards vers le Levant en disant nos prières. Aussi loin que nous regardions, nous ne réussissions pas à l'apercevoir. Car cet *ailleurs* d'où nous venions était encore plus éloigné de nous dans le temps que dans l'espace. En ce premier quart du XXe siècle, nous étions en fait, grâce à la Bible, les contemporains d'un monde aboli qui peuplait ainsi nos jours et nos nuits, imprégnait nos pensées, formait notre sensibilité beaucoup plus sûrement que le milieu où nous vivions et dont notre condition de juifs nous séparait.

Être juif, géographiquement et chronologiquement, c'était *être d'ailleurs*. Notre lieu n'était ni un pays ni un temps déterminés, mais plus gravement un Livre que nous étions à peu près les seuls au monde à savoir lire dans la langue où il fut écrit : l'hébreu et, pour quelques-uns de ses chapitres, l'araméen. Cette langue, aucun de nos voisins arabes ou chrétiens n'était en mesure d'en comprendre un mot. Nous, c'était avec elle que nous apprenions à lire.

Être juif, pour moi, c'était l'image de mon père. Fidèlement, il se rendait à la synagogue pour les trois offices quotidiens. Il récitait les Psaumes que nos ancêtres avaient toujours emportés dans leurs exils et m'invitait à en partager le mystère. Bien peu d'entre nous comprenaient la signification profonde de ces textes qui, cependant, opéraient sur nous tous la même magie, celle du transport de nos êtres dans l'abandon à la parole d'Elohîms. Dans Son verbe, nous retrouvions notre identité.

Chaque homme est tout entier désigné dans le nom qu'il porte, et parfois le façonne dans la magie du Verbe qui nous fonde. Je porte en mon nom et au tréfonds de ma personne trois langues et trois cultures : l'hébraïque, la grecque et l'arabe : *Natân André Chouraqui*. Natân – prononcé Natane – est tiré de la Bible où il apparaît en quarante-deux occurrences. Très répandu au sein des communautés juives et chrétiennes sous la forme de Nathan, Nethanael, Natanyah, il plaît surtout de par son sens : « Dieu a donné ». Ce qui m'interpelle le plus, c'est qu'il se lise indifféremment de droite à gauche et de gauche à droite : Natân, נתן, demeure invariablement celui « qui donne » et « qui est donné ».

André, mon prénom destiné à l'usage social en France, signifie « homme », en grec, *andros*. Ce que Dieu donne, c'est un homme. Et un « homme venu de l'Orient ». Chouraqui dérive de la racine arabe qui désigne le Levant, *al-Charq* : *al-Charqi'in* sont les Orientaux. En latin, il est devenu *Sarracinus*, les Sarrasins, mot dérivé de la même racine qui désigne en français l'Orient et les Orientaux : *Sherkiyim*.

Sur cette terre, au regard du ciel qui sait tout, Elohîms avait fait à mes parents, dont j'étais le neuvième enfant, le don d'*un homme venu de l'Orient* né pendant la Grande Guerre, en Algérie française, au carrefour de trois cultures, l'hébraïque de mes plus profondes racines, la gréco-latine de ma formation française, l'arabe, enfin, du pays de ma naissance, langue que mes ancêtres parlaient probablement depuis plus d'un millénaire.

L'école française, dès mes premières leçons, m'avait convaincu que mes « ancêtres les Gaulois étaient grands, braves, forts et querelleurs et que leurs prêtres s'appelaient les druides ». Nous fûmes ainsi radicalement expatriés de nos racines. Du rabbin de ma synagogue je passais au druide d'une forêt inconnue sans bien sûr remettre ce dogme en question : j'étais à l'école pour apprendre. Étrangement, mes parents ne semblaient pas s'inquiéter de ces révolutions : la France m'offrait la possibilité de « devenir un homme ». Cela devait s'avérer exact car sans les outils de réflexion qu'elle me permit d'acquérir, je n'aurais certes pas accompli le trajet de vie qui fut le mien.

Le rationalisme des philosophes des Lumières, enseigné par les meilleurs professeurs, ceux que le « tiers colonial » dédommageait de vivre sous l'azur algérien, devint ma nouvelle religion. J'étais prêt à envoyer mes maîtres d'arabe Abderahmân, Donnat et Mahdad accompagner mes pauvres rabbins dans les oubliettes religieuses et sémitiques, auxquelles la République généreuse m'arrachait pour me permettre de m'épanouir au grand soleil des idéaux révolutionnaires. Je me mis à lire Marx, à ne plus penser à l'univers de la Bible, à oublier les Psaumes et Isaïe, à délaisser toute pratique religieuse, si ce n'était m'abstenir de manger du pain à Pâque et jeûner pieusement le jour du Kippour. J'avais insensiblement changé de peuple élu, passant de mon Orient originel à cet Occident dont la France me paraissait être la lumière et l'espérance.

À cette alchimie culturelle qui commençait à opérer en moi vint s'adjoindre l'élément physique fondamental et constitutif de ma personnalité : le handicap. J'eus une enfance maladive dont l'attachement à la vie puisa ses forces dans l'amour de mon entourage. À plusieurs reprises, la mort voulut m'emporter, mais l'Elohîms qui nous garde ne le lui permit pas. Que d'angoisses les poitrines de ma mère et de mes sœurs n'épanchèrent-elles pas ! De tous leurs êtres, de toutes leurs âmes, elles venaient à ma rescousse tandis que je luttais contre la mort ou que je menaçais de sombrer dans l'infinie solitude de la dépression. Enfant, je découvris que l'amour des femmes est salvateur. Il n'est rien d'impossible, il n'est pas de situation inextricable pour un homme, dès lors qu'il est aimé des femmes de sa vie. De l'enfant à l'homme que je suis devenu, chaque jour m'en a fait le rappel : je dois tout ce que je suis aux femmes qui ont accompagné ma vie.

Je trahirais leur souvenir si je ne leur rendais pas l'hommage de gratitude que je leur dois. Et d'abord à ma mère, Meleha

Lilas, fille aînée des onze enfants d'Abraham Meyer, mon grand-père. Elle eut elle-même dix enfants, dont mes trois sœurs Marie, Lucie et Alice : à l'ère post-pilulaire où nous vivons, ces familles nombreuses peuvent paraître exotiques : ce sont elles cependant qui constituaient la chair et le sang de l'humanité entière. En ce qui me concerne, ma mère et mes trois sœurs m'ont donné et à maintes reprises rendu la vie par l'amour dont elles me nourrissaient. D'être né dans une famille si nombreuse et d'avoir grandi dans les bras de mes quatre femmes escortées par d'innombrables tantes et cousines m'a permis de survivre à mon enfance maladive et cependant comblée du bonheur de vivre, d'être aimé et d'aimer.

À peine lâché dans les méandres de l'école publique et obligatoire, j'étais suspendu aux lèvres de mes institutrices et de mes infirmières. Les lettres d'Yvonne Jean[1] ainsi que ma correspondance avec Colette Boyer[2] témoignent de l'intensité d'échanges sans lesquels nos vies n'auraient pu devenir ce qu'elles furent. Colette m'a épousé avec la conscience de me suivre sur une voie qui risquait de nous conduire directement au four crématoire d'un camp nazi : et cette fin ne nous fut épargnée que de justesse.

La douleur qui devait imprégner ma chair tout le long de ma vie commença un jeudi du mois de juin 1924. Rentrant chez moi après les classes du matin, un vent sablonneux électrisait l'atmosphère, je fus assailli par une volée d'enfants qui m'assenèrent des coups de cartables sur la tête, au cri de : *Judios mala razza*, « sale race de juif ». Seule la fuite se présentait à moi. J'arrivais chez moi au terme d'une course effrénée, grelottant de peur et de fièvre.

---

1. *Lettres à André Chouraqui,* Yvonne Jean.
2. *Ton étoile et ta croix,* André Chouraqui.

La frayeur et la forte grippe que diagnostiqua le docteur appelé à mon chevet dégénéra rapidement – en dépit des aspirines qu'il prescrivit – en paralysie. Il fallut l'intervention d'un second médecin pour que l'on découvrît la vérité : je souffrais d'une attaque de poliomyélite aiguë. Cette maladie sévissait à l'époque, particulièrement en Afrique où elle faisait des ravages souvent mortels. La médecine était désarmée face à ce virus dont le vaccin n'existait pas alors. Je survécus néanmoins à cette maladie.

Un handicap, de quelque sorte qu'il soit, s'il ne nous tue pas nous fortifie. Il nous enseigne le courage, nécessaire vertu pour affronter les aléas de la vie. Avec le recul, le courage qui m'a permis de dépasser mon handicap m'a aussi permis de ne pas succomber aux différents drames auxquels j'ai pu être confronté tout au long de mon existence. Ce coup du sort fut pour moi une école de persévérance et d'espérance : je compris qu'il faut sans cesse s'obstiner à choisir la vie face à tout ce qui pourrait nous en détourner.

J'étais doté d'une jambe gauche complètement paralysée. Au terme de ma croissance, elle mesurait quatre centimètres de moins que ma jambe droite. À droite, je devins un homme qui mesurait un mètre soixante-cinq. À gauche, je n'avais plus qu'un mètre soixante et un.

Plutôt que de me projeter dans le réel, je laissais celui-ci se refléter en moi. Il me semblait que j'étais le miroir silencieux de tout ce qui se passait autour de moi. Cette vertu d'essence contemplative me permettait de tout entendre, de tout voir, sans être tenté de me projeter dans l'objet de ma contemplation. Un miroir n'est jamais encombré par les objets qu'il reflète. J'étais le miroir de la lumière, des formes, des personnes, des faits et des mots que je voyais ou que j'entendais dans un paysage dont j'étais absent. D'où une insatiable curiosité, une infatigable ardeur à voir, à entendre, à connaître davantage ce qui existait autour de moi, puisque je n'étais moi-même que le miroir du réel.

Une nuit, je fis un rêve : j'étais entouré de lustres de cristal qui éclairaient mes ténèbres, comme cette vasque dorée qui illuminait la chambre de mes parents. Ces lumières se trouvaient à portée de ma main enfantine, tout près de moi, à hauteur de mes épaules, et cependant, malgré tous mes efforts, je ne parvenais pas à les atteindre. Plus loin, très haut, mêlés aux étoiles, je voyais d'éblouissants luminaires parmi lesquels je me mouvais sans aucune difficulté et que je pouvais caresser non seulement du regard, mais de mes mains, amoureusement. Il me semblait alors être libéré de toute pesanteur et voler sans contrainte jusqu'au plus haut des ciels.

Mais mes jambes étaient là pour me rappeler à la réalité. Celle-là même que je ne pouvais intégrer malgré tout l'amour que me prodiguèrent ma mère et mes sœurs.

Lors d'une cure, à l'âge de huit ans, l'amour d'une jeune pensionnaire m'avait permis de me dépasser et déjà d'expérimenter la force de ce sentiment. À l'étonnement des médecins, je parvins à récupérer un peu de muscle. Mais boiteux j'étais et j'en restais douloureux et emprunté. Malgré mes efforts, les séquelles de la maladie m'isolaient de mon environnement, à l'école, dans la rue, dans ma famille.

Ce n'est qu'après l'obtention de mon bac, à dix-sept ans, que je consultais à Paris un chirurgien orthopédiste de renom, le docteur Robert Ducroquet. Après m'avoir examiné, il décida de consolider ma cheville grâce à une transplantation de muscles. Cette opération, nouvelle et rarement pratiquée à l'époque, allait m'arracher à mes torpeurs et me laisser enfin à ma vie. Capable de me mouvoir pour la première fois depuis dix ans sans canne, sans l'appui de rien ni de personne, je réappris à marcher. J'appris ainsi à vagabonder dans l'existence et à arracher le bonheur à chaque instant. Désormais j'excellais dans les sports dont la pratique m'était ouverte. Je nageais infatigablement des kilomètres et des kilomètres, je me tenais bras tendus en croix de fer sur les anneaux des gymnastes, et je découvris aussi que pédaler à vélo me rendait à ma propre vélocité et mobilité. Les longues balades dans la nature s'offraient à moi dans un enchantement dont je me ravissais : je redécouvrais le monde et plusieurs pays d'Europe à la force de mes mollets ressuscités.

C'est à Paris que je découvris l'art chrétien et le christianisme. Yvonne et Colette m'avaient déjà ouvert à une autre image du Christ et de la chrétienté que celle qui était la mienne en Algérie coloniale. Là-bas les chrétiens, éduqués par leurs prêtres, étaient persuadés que les juifs dans leur regrettable existence n'avaient rien fait d'autre que de crucifier Jésus Christ. On pouvait peut-être leur pardonner d'avoir tous les défauts et tous les vices du monde mais, d'avoir crucifié Dieu, qui pourrait les absoudre ? Or à Paris, planté devant la façade ouest de Notre-Dame, figé d'admiration, je contemplais les rois d'Israël qui semblaient veiller avec Jésus et sa mère sur la vie de la capitale.

Dans les musées de la ville puis à travers l'Europe, et jusque dans bien des villages, je découvrais les multiples visages d'un art tout entier né des fécondités de la Bible.

Je découvrais non seulement les splendeurs de l'art chrétien mais celles de la musique liturgique : Jean-Sébastien Bach devint mon « idole » préférée. Ses *Passions* résonnaient au plus profond de mon être, si pleinement accordées au chant des Psaumes qui résonnaient en moi depuis ma tendre enfance. La découverte de l'art chrétien me permit une lecture nouvelle de mes propres sources : je découvrais un second Israël, non plus celui de mon ghetto originel mais celui qui avait explosé hors d'Israël dans le rêve prophétique et messianique de l'Église. Je suivis les cours bibliques du professeur Édouard Dhorme au Collège de France, puis ceux du père Labourdette, au monastère dominicain de Saint-Maximin. Un message étonnamment proche de celui également prophétique et messianique que m'enseignaient mes rabbis.

J'étais armé des deux plus grandes forces : l'amour de la contemplation et du dépassement de soi. L'un et l'autre s'enrichissant d'un perpétuel échange m'ont été d'un constant secours. Ma vie durant, je pus y puiser la force nécessaire à l'accomplissement de ce que tous ces événements avaient pu susciter en moi : le désir renouvelé de transcender les frontières en moi et entre les hommes.

Des multiples héritages attachés à ma naissance, et des expériences de mon enfance, je tire sans doute la force de mon désir de faire revivre dans l'unité d'une même source ce que les hommes ont déchiqueté. Les murs de haines de leurs mythes où ils croyaient trouver salut et refuge devaient tomber. Mon espérance de voir les lointains se rapprocher, s'unir dans un même amour s'enracinait dans la quête de mon identité. La traduction et les commentaires de la Bible hébraïque, du Nouveau Testament et du Coran sont l'œuvre de ma vie livrée à mon temps. Elle est l'aboutissement d'années de recherche sur mon identité et sur celle des hommes que je voyais s'opposer en d'incessantes disputes théologiques. Ce travail de recherche sur les racines qui nous portent m'engagea à refuser les mythes ou à les éclairer par un nécessaire et incessant travail de relecture des textes originaux.

À la recherche de mes origines, j'en vins à écrire l'*Histoire des juifs en Afrique du Nord* qui ancrait en nos exils notre univers culturel vaste et insoupçonné, parfois de nous-mêmes, depuis Jérusalem jusqu'aux terres du Maghreb, en passant par les Baléares et l'Andalousie du Siècle d'or. J'avais le privilège de ressusciter un milieu culturel, linguistiquement inaccessible, caché aux yeux du monde. Tout au long des siècles, les ancêtres dont je découvrais les visages étaient non seulement parvenus à sauvegarder les Écritures mais les avaient agrémentées d'une tradition de sagesse tout orientale dont la mystique élève les hommes, à travers les cultures et les siècles. En Saadia Chouraqui je découvrais un poète de la Renaissance doublé d'un mathématicien auteur d'une des toutes premières méthodes d'enseignement des mathématiques écrite en 1690, en hébreu. La poésie de son *Chant nouveau* recelait des accents étonnamment modernes. Je m'étais de prime abord étonné d'avoir un aïeul mathématicien, moi qui entends si peu la chose algébrique, quand je découvrais à Londres, parmi des manuscrits anciens, le traité qui me lançait sur la trace de Saadia. Et quelle ne fut pas ma surprise quand la vie me gratifia de la découverte de sa poésie, égale aux plus grandes.

Par un hasard dont seul Celui qui nous guide a le secret, j'étais à New York, accomplissant un cycle de conférences, quand John F. Kennedy fut assassiné. L'Amérique en émoi stoppa net toute activité et je dus faire de même. Cette interruption inattendue me donna l'occasion de me rendre à la bibliothèque du Jewish Theological Seminary où je savais trouver des manuscrits d'Afrique du Nord, et certainement des écrits de Saadia Chouraqui. Je sauvais *in extremis* son œuvre : les manuscrits parmi lesquels elle se trouvait brûlèrent accidentellement quelques jours plus tard. Sauvé des flammes, *Le chant nouveau*, ce long et profond commentaire du Psaume 119, le plus long des Psaumes de la Bible à la gloire d'Adonaï Elohîms, était restitué à notre siècle. L'inspiration qui émanait de ce texte, écrit en un hébreu à faire pâlir notre hébreu contemporain, me soulevait de joie et d'admiration. Des siècles après lui, je lisais de Saadia son chant d'amour à l'Être qui nous crée tous.

C'est l'amour en cet Être ineffable que j'ai découvert dans chaque Psaume, chaque verset des Évangiles, et chaque sourate du Coran : il se livrait à mon entendement dans sa lumière. Je n'ai aujourd'hui d'autre legs que l'amour que j'ai découvert en Lui. Son amour nous commande de sortir de nos ghettos, de briser les mythes qui entravent notre liberté.

Il est nécessaire de libérer la Parole, et d'abord celle des livres inspirés, puisque libérer la Parole, c'est libérer l'homme. Seule la poésie originale des Textes est de nature à les débarrasser de leurs enjeux politiques et idéologiques. Je voulais revenir au Message pour ce qu'il est et non pas pour ce que certains nous donnent à entendre qu'il est. Je savais qu'une source commune nous animait, juifs, chrétiens et musulmans, et que nous devions parvenir à nous y abreuver en fraternité. Cette source jaillit pour l'humanité entière dans l'alliance d'Adonaï Elohîms et de Moïse : les Dix Paroles. Je préfère le terme de « Dix Paroles » qui traduit l'hébreu *Asseret Hadibrot* plutôt que « Dix Commandements ». Il ne s'agit pas de « commandements » *stricto sensu* mais de « paroles » à réaliser, librement. Des paroles à « vivre en vérité », ainsi que le proclamait la maxime que je m'étais choisie, alors que j'étais étudiant.

Et c'est ainsi que je me suis efforcé de mener mon existence. Sachant qu'il n'est rien qui divise sinon la division, rien qui fasse conflit sinon le conflit, rien qui suscite l'amour sinon l'amour.

Une vie passée sous le regard de la vérité d'Elohîms m'a donné la force de voir chaque chose en sa lumière et de résister aux tentations de la dissension, refuge parfois attirant, mais mortel. Comme mes ancêtres j'ai passé ma vie à essayer de me libérer de ce à quoi Il nous demande de renoncer pour qu'un royaume de justice, d'amour, de paix et d'unité règne sous les cieux qu'il nous a confiés.

Les enseignements qui nous sont révélés dans les Écrits me semblent plus que jamais d'actualité. Les sociétés dans lesquelles nous vivons, témoins et actrices de la mondialisation, ne nous permettent plus d'ignorer notre prochain. Le contact permanent avec *l'Autre* ne laisse plus de place au repli sur soi. *L'Autre* n'est plus seulement le voisin de mon village, il est aussi mon plus lointain frère du bout du monde. Tous les ghettos que les hommes se sont construits, et dans lesquels, réciproquement, ils se sont enfermés les uns et les autres, ne sont plus d'aucun secours. Pis, ils sont une menace. Le monde moderne nous enjoint l'absolue nécessité de sortir de nos ghettos : l'universalité est la condition de notre survivance.

Les grands déséquilibres que nous constatons à tous les niveaux, dans toutes les religions, dans toutes les cultures, viennent de ce que nous sommes dans une époque de mutation. Nous sortons d'un siècle, et débouchons sur un autre siècle, un autre millénaire, une autre civilisation. L'homme est en passe de conquérir une partie de l'univers. Les mutations sont des périodes déstabilisantes pour tous. Cela pose des questions nouvelles auxquelles il nous faut répondre. Nous devons sortir de nos cloisonnements : un monde ouvert requiert des réponses ouvertes.

L'éducation est la voie qui nous permettra de situer l'homme au niveau des réponses qu'il doit trouver. L'éducation forgera l'humanité nouvelle et les religions qui ont été des ghettos contraignants doivent devenir les clés de nos libérations. Ce sont elles qui devront, dans toutes les cultures du monde, faire passer le message essentiel de l'homme nouveau. Elles auront pour cela à s'ouvrir bien plus qu'elles ne l'ont jamais fait.

L'apprentissage du Livre doit être fait dans son ouverture et non dans une vision de préservation des prétendus « purs ». Le Coran, les Évangiles et la Tora doivent se libérer de siècles de repli et d'enfermement. Sans un effort pour l'éducation aux religions et aux cultures comparées, nous ne trouverons pas la recette qui fera taire nos instincts de destruction et de meurtre.

Concernant cette éducation, les Français sont dans une position ingrate par rapport à d'autres pays. Le laïcisme français a jeté l'enfant avec l'eau du bain. Tout ce qui est transcendant, et la religion en fait partie, n'a pas droit de cité dans les écoles de la République. Cette lacune est d'autant plus criante que la France est devenue un pays multiculturel et multireligieux. Le système éducatif rejette ce qui fait l'essentiel du juif, du chrétien ou du musulman. L'école laïque s'interdit de parler de Dieu et des différentes manières dont il est perçu par les hommes. Il est très grave de ne pas pouvoir débattre de ce qui nous fonde.

Il ne s'agit pas d'imposer une éducation religieuse dans une école laïque, encore moins de transformer celle-ci en école religieuse, mais d'introduire à tous les niveaux des programmes scolaires l'enseignement des grandes religions du monde entier, de manière à donner aux élèves les clés d'une meilleure compréhension du prochain… et d'eux-mêmes. L'école a sa part de responsabilité dans l'enfermement des esprits. Les religions comparées doivent être systématiquement enseignées dans les écoles laïques et les séminaires religieux devraient veiller à ce que l'enseignement de la spiritualité dont ils relèvent ne soit pas dispensé comme s'il s'agissait de la seule religion, de la seule vérité au monde.

Notre premier devoir est de ne pas ériger en idoles nos ambitions, nos croyances ou nos dogmes, et de ne pas nous asservir aux ghettos dans lesquels ils nous enferment. N'oublions pas que la première des Dix Paroles s'adresse à des hommes libres, délivrés de tout esclavage, y compris celui de l'ignorance, du mépris, parfois de la haine que sécrète toute ségrégation. Si chaque être humain s'ouvrait à *l'Autre*, alors sa vie, celle de sa famille, de sa communauté, seraient métamorphosées. D'où l'exigence du pluralisme de la pensée qui accepte la diversité des faits qui commandent le processus du salut universel.

René Cassin, le rédacteur principal de la Déclaration universelle des droits de l'homme, avec qui j'eus le privilège et l'honneur de travailler au sein de l'Alliance israélite universelle, me dit un jour : « Chaque religion a le droit de se considérer comme vraie et absolue, mais la coexistence des autres religions la relativise nécessairement. » Autrement dit, nous avons le droit de croire ce en quoi nous croyons et ce que nous vivons, mais nous ne pouvons pas faire de cette perception, de cette vérité qui est nôtre, une idole et l'opposer radicalement à d'autres vérités. Nous devons cesser de nous forger des identités meurtrières.

Les religions ont eu besoin de s'enfermer parce qu'elles étaient à la conquête de l'univers, or, au lieu de se combattre les unes les autres pour s'imposer mutuellement « leur » vérité, elles auraient dû dia-loguer : marcher ensemble, vers plus de lumière, vers plus de paix, vers plus d'amour.

Le dia-logue qui doit nous mener aujourd'hui à l'alliance des alliances qui unit enfin l'homme avec son humanité, sous le regard de la vérité des Dix Paroles, nécessite de chacun un sacrifice identitaire. Nous ne pouvons prétendre à un avenir commun si nous n'inventons pas une identité nouvelle. Le défi est de transcender notre identité de départ pour nous projeter dans une identité nouvelle, plus large. *Inventer* c'est *fonder, créer.* Ce sacrifice jette les bases d'une humanité nouvelle tirant de ses diversités non plus des conflits mais des richesses.

Si ce n'est l'Amour qui nous décide, alors ce sera la peur de l'anéantissement nucléaire qui nous menace.

La Parole est céleste et l'homme est de chair et de sang. Le Psalmiste nous l'enseigne : la frontière entre liberté et asservissement passe par nous-mêmes. Nous sommes nous-mêmes le théâtre d'une lutte perpétuelle entre les forces de vie et les forces de mort. Le choix que nous faisons chaque jour, en chaque instant, entre le bien et le mal, la liberté et l'esclavage, la vie et la mort participe, lui aussi, de l'économie globale du Salut. Car la vie et la mort, la liberté et l'esclavage, le bien et le mal sont étroitement imbriqués : « *L'enfer n'est séparé du paradis que par l'épaisseur d'un cheveu* », enseignaient les Anciens.

« *Vois, j'ai placé devant toi la Vie et la Mort, la bénédiction et la malédiction [...] choisis la Vie afin que tu vives* » (Dt 30,19). Choisir la vie aujourd'hui, c'est renoncer à jouer avec le feu de nos divisions et de nos haines. Laissons là les oripeaux de nos ghettos, les haillons de nos pensées et dirigeons-nous vers la chaleur d'une flamme salvatrice, celle du feu de l'Alliance.

1

Le *Nom-sans-nom*

Le nom du dieu révélé à Moïse sur le Sinaï a été assimilé à celui de l'idole la plus fréquente dans la culture des langues où la Bible a été traduite. Cette acculturation – au sens d'intégration à une culture – a privé les adeptes de la Bible du Nom essentiel – et considéré comme tel par Celui qu'il désigne. Au lieu d'être transportés dans la pure transcendance de l'Être suprême, les hommes ont été cantonnés dans l'imaginaire d'idoles mortes et déchues, hissées par les traducteurs à la place de l'Être au *Nom-sans-nom*.

Les circonstances de ces traductions pourraient faire l'objet de l'intrigue du meilleur des romans policiers. Saint François Xavier, en arrivant au Japon en 1550 dans le but d'évangéliser les Japonais, traduisit « Dieu » par *Dainitchi*, jusqu'au jour où il comprit que ce nom désignait Bouddha sous l'espèce du *Grand Soleil*. François Xavier, devenu plus prudent, utilisa ensuite le terme de *Deus* qu'il croyait plus sûr, mais quand il l'utilisait dans la prédication, il soulevait l'hilarité de ses auditeurs, ce mot signifiant en japonais « gros mensonge ».

Puis les traducteurs utilisèrent le nom de *Tenchou*, un terme sino-japonais qui désigne le Maître du Ciel. En 1989, à Tokyo, la nouvelle édition d'une Bible diffusée par les catholiques et les protestants du Japon traduisait « Dieu » par *Kami*. Ce nom qui a donné le terme *kamikaze*, « pilote suicidaire », désignait Dieu entendu comme celui qui siège parmi les êtres supérieurs, ceux « qui sont en haut »... Nous voilà tombés dans le pire faux sens.

Plus près de nous, chez les Anglais, la trahison du Nom n'est pas moins grave : *God*, *Gott* chez les Allemands, nom d'étymologie incertaine, désigne à l'origine un *superman*, un homme supérieur hissé au rang de dieu, tandis que *Goddess* désignait une divinité femelle. *God* était aussi un homme doté de pouvoirs surnaturels et vénéré comme tel, typiquement dénoncé dans le Décalogue en ces termes : « *Thou shalt not make molten gods* – Tu ne feras pas des dieux de métal » (Ex 20,4). À l'origine, ces *Gods* de la guerre étaient adorés par les tribus préchrétiennes du Nord de l'Europe et des îles anglo-saxonnes. Ce sont eux, les *Gods*, qui désignent en anglais l'Elohîms de la Bible hébraïque et du Nouveau Testament !

Chez les peuples latins – y compris les Français – l'opération n'a pas été moins traumatisante pour le Nom d'Adonaï. Adonaï l'Innomé, l'Innommable a été d'abord déguisé en *Deo* et *Deus*, puis vers les XIe et XIIe siècles en *Deu* pour aboutir à sa désignation finale : « Dieu ».

Une fois encore, nous changeons non seulement de Nom mais d'univers culturel, déplaçant Adonaï de son Asie originelle dans le monde indo-européen. Le Nom de « Dieu » contient une racine indo-européenne *déi*, « briller », qui, transformée en *deiwo* et en *dyew*, servait à désigner le ciel lumineux, considéré comme divinité. Il désigne aussi les êtres célestes, par opposition aux hommes et aux êtres terrestres. Telle est la plus ancienne dénomination indo-européenne de la divinité, liée à la notion de lumière que l'on retrouve en grec dans le nom de « Zeus », génitif *Dios*. Dans *dios*, « brillant », on retrouve la lumière du jour et le jour « diurne ».

I$\overset{\text{Adonaï}}{\text{HV}}$H n'est cependant ni la lumière ni le jour, étant le Père du jour et le Créateur de la lumière. Un même abîme sépare le texte hébraïque de toutes ses traductions : celui qui existe entre la transcendance du Créateur et la nature terrestre de ses créatures. La distorsion est aussi patente et aussi grave de conséquences, puisqu'elle dépouille l'Être suprême de l'essence même de sa divinité, proclamée dans sa transcendance par Moshé, Jésus et Muhammad.

Ce *Nom-sans-nom*, dont la prononciation était seule connue du grand prêtre du Temple qui n'était autorisé à le prononcer qu'une fois l'an, dans le Saint des saints, lors de la liturgie pascale, nous voudrions en rendre ici la forme originale.

Les quatre lettres hébraïques יהוה rendent le tétragramme I$\overset{\text{Adonaï}}{\text{HV}}$H dans les textes les plus anciens dont nous disposions. Pour en respecter le mystère, les juifs les plus pieux prononcent ce nom, ineffable, *Hashem*, « le Nom », et l'écrivent par la permutation de sa deuxième et de sa quatrième lettre. Pendant des siècles, le tétragramme hébraïque a orné le fronton des églises chrétiennes. Des commentateurs ont voulu le prononcer Jéhova, puis Yahvé, mais rien ne permet de considérer ces prononciations comme exactes. Elles dépouillent en outre le *Nom-sans-nom* de son mystère essentiel.

יהוה, « l'Être qui a été, qui est, qui sera et qui fait être », ne peut être prononcé. Dans son silence le tétragramme nous renvoie à son mystère et à son infinie profondeur. On peut dire : « Je ne crois pas en Dieu. » Mais qui pourrait affirmer : « Je ne crois pas en l'être » ?

2

Les rivalités naissent de la confusion

Les échos suscités par les événements du Proche-Orient, divisé et déchiré, nous étonnent, non par leur puissance, leur multiplicité ou leur universalité mais par l'ignorance encyclopédique des personnes qui les relatent sans en connaître les réalités dans toute leur complexité.

Or on ne peut comprendre les faits sans en connaître l'histoire. Il est grand temps de revenir sur les aveuglements réciproques et d'éclairer du mieux que nous le pouvons la manière dont de si dramatiques problèmes ont pu barrer le cours de l'histoire.

À commencer par la difficulté de comprendre la nature de l'histoire d'Israël. Gardons-nous pour les uns de tomber dans l'apologie et pour les autres dans le refus abrupt de toute explication au simple énoncé du nom « Israël ». Israël est un fait historique porté au long des siècles par le peuple hébreu puis par les juifs de l'exil. Avec l'œil de l'historien, reconnaissons ce fait pour ce qu'il est et gardons-nous des passions et des haines *instinctives*. Des mythes nous ont aveuglés pendant des siècles : il est l'heure de voir *au-delà*.

L'esprit historique qui s'est imposé dans l'histoire occidentale au courant du XIXe siècle n'a que difficilement pénétré les préjugés au sein de religions dont la force principale était de se murer dans des orthodoxies immuables. Les juifs en exil vivaient leur enfermement comme la seule et unique chance de préserver le message face aux nations ainsi que face à la chrétienté et à l'islam qui s'affrontaient pour l'hégémonie universelle de leur foi.

Ces combats se sont nourris de la confusion des réalités de chacun et parfois des calomnies exploitées à bon compte par quelques souverains faisant de la foi l'étendard de prétentions impérialistes.

Genèse de nos conflits

Le périple d'Israël commence par cet événement : Dieu, jusqu'alors inconnu, s'empare en Mésopotamie d'un hébreu, Abraham, le convainc de ce que les milliers de divinités adorées dans tous les temples de l'univers, et plus spécialement du Proche-Orient, ne sont que des objets inanimés, de simples bouts de bois ou de fer.

En dignes héritiers du rationalisme de Descartes, cette révélation peut nous paraître anodine, voire désuète. Et pourtant son message ébranle tous les fondements du monde antique : les pharaons, les empereurs, les rois sont alors des divinités. Il n'était de pouvoir qui ne soit d'essence divine. Les souverains des nations trônaient parmi les divinités créatrices et protectrices de l'univers. Exclure l'idolâtrie équivalait à bannir la sujétion à ces mythes vivants. Cette simple pensée est à l'époque *révolutionnaire*.

La mise en marche de la révélation conduit Abraham hors de son pays, de sa ville d'Ur en Chaldée, et de sa famille pour partir à la découverte de la terre promise. Arrivant en Judée, Abraham entreprit les transactions qui lui permirent de conquérir le sol. Un peuple se constitue alors sur cette terre pour recevoir et transmettre ce message révolutionnaire s'il en fut, qui donne sens et transcendance à l'homme qui en vit.

Trois siècles plus tard, le message abrahamique, mûri de l'exil égyptien, resurgit grâce à l'aventure de Moïse. Celui-ci se révolte contre l'esclavage pharaonique et devient le pionnier de la libération d'un peuple d'esclaves mis en demeure d'adorer un dieu nouveau dont la loi est proclamée dans le désert du Sinaï.

À partir de ces données, le peuple d'Israël naît sous l'inspiration de ses prophètes et l'administration de ses rois.

Il était inévitable que le petit royaume d'Israël et de Judée provoque l'antagonisme des forces du monde antique. Le simple fait de son existence devait dresser contre lui tous les empires qui en convoitaient les richesses et en redoutaient les idéaux.

À la croisée des chemins de l'Asie et de la Méditerranée, la terre de Canaan, riche de promesses bien plus que de ses ressources naturelles, était, et reste encore, un axe de communication, une voie de passage de première importance entre les trois mondes africain, asiatique et méditerranéen. Les grands empires, Assyriens, Babyloniens, Grecs, Romains, Francs, Ottomans, Britanniques s'y sont succédé. Chacun en a désiré le contrôle et la jouissance.

Les historiens situent l'Exode entre le XVe et le XIIIe siècle avant notre ère. Quoi qu'il en soit, l'événement fut suivi par la conquête de la terre de Canaan par les tribus d'Israël sous la conduite de Josué. Celui-ci eut pour successeurs les Juges (*Shoffetim*) (1200-1030). Les nécessités de la conquête, le passage à la vie sédentaire, le premier contact avec les cultes de Moab et de Canaan mirent en grand péril l'œuvre de Moïse. Le prophète Samuel en sacrant le roi Saül (1030) restaure l'unité nationale ; le roi David et le roi Salomon (1010-970) conduisent Israël à l'apogée de sa puissance. Le Schisme (930), les rivalités des royaumes d'Israël (capitale Samarie) et du royaume de Juda (capitale Jérusalem) devaient conduire le premier à la ruine et à l'exil en Assyrie (721), le second à la domination de Babylone, à la première destruction du Temple et de Jérusalem (586) et à la captivité de Babylone (586-538).

Mais dans les troubles politiques et les tragédies incessantes de cette période, comme la destruction du Temple de Salomon, la Terre sainte connaît la visitation du verbe et la fulguration de l'enseignement des prophètes. Tous se présentent comme des hommes directement inspirés par le Seigneur ; ils sont la proie de Dieu, les organes vivants et passionnés de la révélation, dont ils ne cessent de confronter les exigences avec les accablantes réalités de l'histoire. La Bible devait réunir l'extraordinaire témoignage de ces hommes qui se situent aux articulations de l'éternel incréé et de l'histoire dont ils finiront par incliner le cours : on distingue traditionnellement les livres des *premiers prophètes* (livres de Josué, des Juges, de Samuel et des Rois) et les *prophètes postérieurs* (Isaïe, Jérémie, Ézéchiel et les Douze petits prophètes). Le prophète parle non pas de son propre mouvement ni en son propre nom, mais parce que Dieu l'a saisi, séduit et inspiré ; il est le porteur d'une voix ; et c'est elle qui juge les événements, les alliances, les guerres, les calamités, l'idolâtrie, la débauche, les injustices. Il prévoit les châtiments, instruit, exhorte à la pénitence, annonce l'éternel triomphe de la lumière sur les ténèbres, de la vie sur la mort : il porte le feu de l'Alliance.

Ces écrits de circonstance dominent l'histoire universelle sans doute parce qu'ils en analysent les structures et en préfigurent les accomplissements. Dans cette période lumineuse, passionnée, exceptionnelle, on peut le dire, le monothéisme de Moïse s'approfondit et devient à la fois plus agressif dans la prédication des prophètes du VIe siècle et plus grave, plus tendre ou plus persuasif dans des écrits qui devaient être inclus par la suite dans le canon biblique : les Psaumes, le Cantique des Cantiques, l'Ecclésiaste, Job, les Proverbes ou les Lamentations ; plus édifiant dans les textes d'Esdras, de Néhémie, des Chroniques ; plus terrible enfin dans l'Apocalypse de Daniel.

Le prophétisme conçoit désormais l'histoire universelle comme une marche des ténèbres vers la lumière, de l'iniquité vers l'amoureuse justice de Dieu, connu, reçu, aimé, obéi dans la transcendance de son règne. Quelles que soient les profondeurs de la chute, le triomphe et le règne du Messie sont attestés dans les certitudes de la vision.

Le second Temple (516 av. J. C.-70 ap. J. C.)

La captivité de Babylone fut de courte durée (586-538), mais avait mis fin à la pureté des transmissions traditionnelles – dont le Temple de Salomon, détruit par Nabuchodonosor, assurait la continuité – comme à l'autonomie politique du peuple juif. Jérémie tire les conclusions de la tragédie de l'Exil en révélant plus explicitement les significations universelles du vouloir de Dieu : le judaïsme naît en tant que religion singulière à l'instant où le peuple juif est arraché à sa terre et jeté dans les rigueurs de son exil. Politiquement, la domination des

Perses (538-332) se prolongera par la domination grecque (332-140) : Alexandre de Macédoine entre à Jérusalem en 332, les Ptolémées dominent la Judée à partir de 320, les Séleucides après 198. Le soulèvement des Asmonéens (167) aboutit à la libération de la domination étrangère (140) : les Macchabées, en vengeant les sacrilèges du roi séleucide Antiochus Épiphane, assurent les conditions de la victoire du Dieu d'Israël sur les idoles païennes. Après quatre cents ans de domination persane et grecque, Juda redevenait un État libre sous la dynastie des Asmonéens. Cependant, une fois encore, des dissensions internes (guerre fratricide d'Hyrcan et d'Aristobule, 67) préludèrent à une nouvelle et cette fois définitive sujétion étrangère : Pompée et les Romains s'emparent de Jérusalem en l'an 63 avant l'ère chrétienne.

La destruction du Temple

De cette longue succession d'envahisseurs les Romains furent ceux qui imprimèrent le plus durement, et le plus durablement, leur marque. Les Hébreux s'enorgueillissaient de voir un si grand empire s'intéresser à eux, mais ils déchantèrent vite : Rome marquait la fin de leur indépendance. L'Empire était plein de bonté et de reconnaissance pour qui s'y soumettait, mais sanguinaire et sans pitié pour qui refusait son autorité. Et à la question nationale s'ajoutait la menace de l'Empire envers l'identité spirituelle et religieuse des Hébreux. L'Empire polythéiste et idolâtre ne pouvait légitimement commander le peuple du Dieu Un.

Alors, en l'an 70 de notre ère, la première révolte des Hébreux éclata. La répression en fut sanglante. Tacite, historien prudent, parle de cinq cent cinquante mille morts. Flavius

Josèphe, dans *La guerre des Juifs contre Rome*, fait état d'un million. Les sources hébraïques dénombrent un million et demi de victimes. Quelle que soit l'exactitude de ce décompte macabre, la répression de Rome contre les Hébreux fut parmi les représailles les plus dévastatrices que ce pays ait connues. Le 9 *av* (août) 70, Titus détruisit le Temple. Les Judéens survivants furent bannis et la mort leur était promise s'ils revenaient.

Tel est le véritable commencement de ce que l'on appelle la diaspora et qui fit écrire au poète Heinrich Heine que « le judaïsme n'est pas une religion mais un malheur ». C'est effectivement dans ce malheur de l'exil, et bien souvent des persécutions, que ces petites communautés allaient s'étoffer et se multiplier. Les Judéens de la terre de Canaan, les Hébreux, devinrent des juifs en exil. L'identité exilique sera le ciment de la communauté juive pour des siècles.

Ce petit peuple à l'apparence si hermétique soulevait l'incompréhension et nombre d'interrogations : le fait juif était un mystère. Comment ne pas sourire de ceux qui justifiaient leur présence hors de leur terre et leur refus de toute conversion par le fait qu'un certain Titus avait détruit leur temple et qu'ils étaient dans l'attente du retour ! Un si petit peuple, désarmé, reprendre sa terre des mains des plus puissants empires ! Quelle pouvait donc être cette lubie ?

Les empires se succédaient sur leur terre tandis que les juifs s'isolaient dans leurs ghettos. Inaudible leur langage, insupportable leur refus de la conversion, incompréhensibles leurs traditions antiques… Les juifs auraient sans doute pu sortir de ce ghetto et ouvrir le Message dont ils étaient les porteurs aux populations parmi lesquelles, ils vivaient si les empires et les nations ne s'y étaient brutalement opposés. Ce message était source de malheur pour ceux qui le portaient car il était de nature à réduire à néant les prétentions des empereurs en ce monde terrestre : le seul véritable empereur est assis au ciel et non dans la salle du trône d'un palais jalousement gardé.

L'isolement renforçait l'incompréhension totale du fait juif : une nation cherchant à sauvegarder son identité, et pour cela n'ayant d'autre choix que de se replier dans le ghetto dans lequel elle était enfermée. La méconnaissance par ses détracteurs du refus du peuple juif d'accepter sa défaite face aux empires, essentiellement l'Empire romain, est à la source des plus grandes aberrations et des plus grandes monstruosités de l'histoire de l'humanité. Ce refus était d'autant plus ferme que les juifs ont vécu deux mille ans dans la certitude que se réaliserait la promesse de la Tora : *Adonaï Sebaot, le Dieu des armées,* les réinstallerait en leur terre. Sous l'œil d'Elohîms, ce petit peuple cultivait sa différence.

Fallait-il être fou d'espérer ? Leur miracle se réalisa néanmoins. Jeté sur les routes de l'exil au Ier siècle de notre ère par le génocide de l'Empire romain, le petit reste d'Israël retrouva sa terre au lendemain de la Shoa perpétrée par le IIIe Reich. Paradoxale histoire : un massacre ouvre l'exil, un autre le clôt. Dieu facétieux : ce sont les nations, unies, qui rendent Israël à sa terre.

Cependant, la réalisation du miracle ayant été laissée au bon vouloir de son Dieu, le peuple d'Israël n'a jamais réellement préparé son retour. Quels étaient les enjeux, les implications de la réalisation de la Promesse ? Personne n'avait réfléchi à cette question. Elle se pose aujourd'hui dans l'urgence d'un conflit à l'allure inextricable.

L'allure moderne du conflit

Paradoxal conflit arabo-israélien : pendant trois millénaires la pacifique cohabitation des Arabes et des Juifs s'était caractérisée par une symbiose féconde qui plongeait ses racines dans des origines communes, et s'alimentait d'indiscutables similitudes de vocation, de spiritualité et de culture. La Bible donne déjà le témoignage de la fécondité des relations entre Arabes et Hébreux : Job et ses amis, on le sait, sont des Arabes, dont la sagesse était reconnue pour sœur de celle d'Israël. Des historiens ont avancé l'hypothèse d'une communauté d'origine entre Arabes et Juifs, ces derniers étant également originaires, à l'époque abrahamique, de la péninsule arabique. La fraternité entre les deux peuples est si grande qu'une dynastie d'origine iduméenne, celle d'Hérode, peut régner sur Israël. L'arabe et l'hébreu appartiennent au même groupe de langues sémitiques et ont entre eux de profondes similitudes.

Les liens entre Arabes et Juifs deviennent encore plus profonds après la conversion des Arabes à l'islam. Cette religion, dont le Prophète, Muhammad, fut nourri et inspiré par les Écritures saintes d'Israël, présente avec le judaïsme de surprenantes similitudes dans ses sources, son inspiration, ses structures théologiques, métaphysiques, philosophiques, culturelles et même sociologiques. Les docteurs des deux religions ont été en contact constant et souvent ils s'inspirent les uns des autres. Il n'y a, dans leurs œuvres, aucune contestation profonde sur des points de foi ou de doctrine. Et rien de comparable en islam à la persécution dont les Juifs furent victimes en Europe, au cours du dernier millénaire.

Les heures de gloire de l'islam correspondent pour les Juifs au temps de leur plus grande fécondité spirituelle. Davantage encore : Juifs et Arabes sont les deux seuls peuples du monde dont le Dieu national, le Dieu d'Abraham, d'Isaac, de Jacob, de David, de Jésus et de Muhammad soit devenu Dieu du ciel et de la terre pour une multitude de nations. Les Juifs, par le canal de l'Église chrétienne, les Arabes, grâce à la prodigieuse propagation de l'islam, sont à la source d'un mouvement spirituel qui a modelé et scellé le destin spirituel de l'humanité entière.

Plus encore : la décadence des peuples musulmans, à partir du XVIe siècle, s'accompagne de la ruine du monde juif, établi dans sa plus grande partie en terre d'islam. La découverte de l'Amérique, la révolution économique et industrielle bouleversent les structures anciennes : le monde nouveau favorise l'appauvrissement, puis la ruine, des pays d'Orient, bientôt colonisés. Partout, Juifs et Arabes suivent un sort identique. Ils se heurtent à un même ennemi, la pauvreté, et à des adversaires qui sont nourris d'un même mépris de leur race. En terres coloniales, les Arabes se heurtent aux méfaits d'un certain colonialisme – à l'heure même où les Juifs doivent à peu près partout faire front devant les déchaînements de l'antisémitisme : les uns et les autres apprennent – au prix de quelles souffrances ! – à découvrir l'horrible visage du racisme, dont ils doivent triompher, pour seulement survivre.

La renaissance du monde arabe et du monde juif commence simultanément avec la Révolution française, dont les grands idéaux de liberté, d'égalité, de fraternité font apparaître insupportables les sujétions du passé ; elle s'affirme avec Napoléon, dont la campagne orientale arrache le monde arabe à sa torpeur. La langue arabe et l'hébraïque sont les premières à être réhabilitées et arrachées à leur léthargie. Un mouvement spirituel, intellectuel, scientifique, littéraire, poétique s'affirme parallèlement chez les Arabes et chez les Juifs : ils ont à résoudre des problèmes religieux, culturels et politiques qui sont souvent de même nature. Comment s'étonner, dans ces conditions, que la *Nahda* arabe soit non seulement à peu près contemporaine de la *Haskalah* juive, mais qu'elle lui ressemble à bien des égards ? Les mouvements de Réforme moderne de l'islam et du judaïsme prennent également des formes souvent voisines. La volonté de libération nationale s'affirme ici et là sous des formes parallèles et contemporaines. Le sionisme tend à utiliser sur le plan politique les forces spirituelles du judaïsme, tout comme l'arabisme mobilise celles de l'islam, pour promouvoir la libération des peuples. Et là réside la cause de leur affrontement fratricide. Le paradoxe veut qu'à l'heure où les chrétiens et les juifs entament le processus de leur réconciliation, à l'heure où Israël devient l'allié des peuples qui persécutèrent les Juifs de la manière la plus implacable, des Arabes, qui traditionnellement n'eurent jamais de dispute avec les Juifs, relèvent le drapeau de l'antisionisme – que l'on peut difficilement distinguer, il faut le dire, de celui de l'antisémitisme.

Lorsque les premiers sionistes arrivèrent en Palestine, dans la deuxième moitié du XIXe siècle, ils se heurtèrent non pas à la population autochtone, généralement prête à les accueillir, mais à la police turque, qui ne voyait en eux ni des sionistes ni des Juifs – mais une menace pour l'ordre vermoulu de l'Empire ottoman décadent. Les janissaires pendaient autant d'Arabes que de Juifs : le principe était de couper les têtes qui dépassaient, parce que tout ce qui bougeait menaçait l'ordre établi. Le conflit n'était à l'époque ni religieux, ni politique : il était avant tout, pour un empire sourcilleux, une question de police.

Le mandat britannique, la proclamation du Foyer national juif, politisa le conflit : l'administration britannique pouvait difficilement éviter, pour mieux asseoir sa domination, de jouer sur les deux tableaux : c'est ce qu'elle fit de 1917 à 1948, date à laquelle elle dut battre en retraite, laissant le pays dans un état, en vérité, chaotique.

L'État d'Israël déclara alors son indépendance tandis que le plan de partage des Nations unies prévoyait deux nations. J'étais à cette époque plongé dans la préparation de la soutenance de ma thèse de doctorat en droit, *La création des États palestiniens*. Après de longues enquêtes, des dizaines de commissions des Nations unies avaient opté pour la création, en Palestine mandataire, de deux États distincts, un juif et un arabe. Cependant, la proclamation de l'État d'Israël au cours de l'année 1948 m'obligea à renommer ma thèse et à réorienter le sujet sur *La création de l'État d'Israël*. Tandis que les Arabes, au lieu de créer l'État palestinien arabe que recommandaient les Nations unies, déclenchaient le cycle d'un refus dramatique et de guerres à répétition contre le nouvel État d'Israël.

La peur de vivre ?

Mes nombreux dialogues avec des amis palestiniens m'ont révélé à quel point la projection de nos peurs respectives sur la partie adverse tenait une place importante dans le conflit actuel. Aussi ahurissant que cela puisse paraître, au moment même où ensemble nous aurions pu nous libérer de siècles d'aliénation, les spectres de nos peurs sont remontés en nous avec une pression d'une violence telle qu'ils nous ont conduits à nous affronter. Nous avons été, les uns comme les autres, les jouets de cet irrépressible vertige qui exacerbait nos sens à l'heure où ceux-ci étaient à fleur de peau et entièrement tournés vers l'espérance d'une libération tant désirée. Nos peurs et nos espoirs se sont confondus et tous nous avons été submergés, noyés dans le flot tumultueux de nos angoisses.

Les Palestiniens ont projeté sur les Juifs les peurs ancestrales accumulées au cours de siècles de domination. La dernière qu'ils avaient connue, la domination ottomane, avait été d'une bestialité rarement égalée et laissait des plaies béantes : un terrain favorable pour que la peur entame son travail de putréfaction des cœurs. Les janissaires ne s'embarrassaient d'aucun scrupule pour faire tomber à coup de sabre les têtes qui se rebellaient contre leur ordre. Rien ne résistait à la cruauté que cet empire s'est ingénié à répandre au cours de son règne de quatre cents ans, de 1517 à 1917. N'oublions pas que nous lui devons le premier génocide du siècle : le génocide arménien. Un million et demi de personnes ont été exécutées par les foudres de cet empire sanguinaire. Rappelons aussi que l'absence de réaction des nations de l'époque a conduit Hitler à penser qu'il pourrait tout aussi bien perpétrer la Shoa dans l'indifférence générale. Il y parvint pour un temps et légua aux juifs la pire tragédie de leur histoire.

Les juifs, la mémoire à vif alors qu'ils réchappaient tout juste de la Shoa, furent aussi victimes des souvenirs des atrocités commises à leur égard. Comment ne pas revoir surgir le spectre du génocide à l'écoute des propagandes arabes de l'époque ? Shoukeiri, le premier chef de l'OLP, voulait jeter à la mer ceux qui avaient survécu à l'enfer des camps et dont la survie était déjà une assourdissante interrogation. À l'angoisse post-traumatique d'avoir survécu à tant de morts s'ajoutaient les appels aux meurtres et au renouvellement de la persécution lancés par des illuminés, des assassins en quête de pouvoir. Car je ne pense pas que Shoukeiri voulait la libération de ses gens mais une plus grande soumission à son pouvoir. Il sut, lui aussi, entretenir le fléau des peurs.

L'affrontement était dès lors inévitable. Deux peurs, respectables et compréhensibles en soi, sont entrées en collision, se sont fait écho l'une à l'autre, et chacun a cru reconnaître en son nouveau voisin son ancien bourreau, son prochain bourreau. Trop tard, l'horrible mécanique de nos peurs était en marche et les rouages de l'histoire s'actionnaient. Les événements se sont alors enchaînés et ont interdit de voir autre chose que l'horreur à laquelle nous étions directement confrontés. Nous aurions dû débusquer nos peurs, mais ce sont elles qui nous ont retrouvés, surpris, aliénés. Nous étions aux abois, elles nous ont poussés les uns et les autres à fauter contre nous-mêmes.

La lucidité aurait dû nous permettre d'affronter ces peurs ancestrales et de les soumettre à notre volonté. Nous aurions pu faire de cette terre le jardin d'Éden où il est possible de vivre débarrassés de la peur du manque et de la faim, débarrassés de toute raison de s'étriper. Malheureusement nous tous n'avons pas su reconnaître la Vie en nous, cette Vie qui doit être un chant de gloire constant à l'Elohîms qui nous a créés.

Cette situation de guerre se poursuit encore et, malheureusement, Israéliens et Palestiniens ont eu beaucoup à souffrir de ce conflit. Le peuple est tragiquement l'otage de l'intransigeance de ses chefs qui le sacrifient sur l'autel de l'hostilité envers le *dhimmi*, le juif historiquement soumis à la société islamique. La *Oumma* oppose un refus inconditionnel au bouleversement qu'entraîne la résurrection d'Israël, fait sans précédent dans l'histoire de l'humanité.

L'origine de la haine

Les fatwas publiques des imams ont dès le début alimenté la haine du peuple palestinien à l'égard d'Israël. Les plus radicaux menaçaient physiquement les Arabes qui auraient des relations avec un Juif : des épiciers ont vu leurs magasins brûlés car ils commerçaient avec des clients juifs. De telles intimidations obligeaient aux relations clandestines. Je me souviens de mes subordonnés arabes lorsque j'étais vice-maire, au côté de Teddy Kollek, de la municipalité de Jérusalem : ils n'ont jamais osé entretenir des relations franches et directes avec nous. Leur sécurité en dépendait. À la même époque, organisant une rencontre entre les autorités arabes et juives de la ville, je constatais avec surprise que ceux qui se combattaient ne s'étaient même jamais rencontrés. Je réunissais pour la première fois ensemble tous les dirigeants des confessions musulmanes et chrétiennes en cette « Cité de la Paix », *Iéroushalaïms*. Hélas ! les tentatives de coopération furent vaines et les appels à la violence et au rejet d'Israël continuèrent à retentir du sommet des minarets. On les retrouve plus dramatiquement encore dans certains manuels scolaires actuels sous la forme d'un antisémitisme surprenant. Les apôtres de la destruction justifient l'éducation à la violence par les nécessités d'une *guerre sainte*, la glorification du martyre, fût-il celui d'enfants militairement entraînés pour une guerre qui ne saurait être la leur. Une telle attitude est irresponsable et meurtrière. La réconciliation est impossible si la profanation de l'innocence des enfants devient la norme.

L'intransigeance sur Jérusalem et le Mont du Temple, que certains musulmans persistent à ne pas reconnaître comme tel, est pour le moins opportuniste. Lorsqu'en 1967 les troupes israéliennes reprirent Jérusalem des mains du souverain jordanien, elles trouvèrent une ville en complète déshérence. Les Jordaniens s'étaient peu souciés de cette ville que musulmans, chrétiens et juifs veulent aujourd'hui partager, elle qui n'a jamais été nommée par son nom – Iéroushalaïms, Jérusalem – en milieu arabe et islamique. Le mur occidental du Temple, le mur des Lamentations, était alors une ruelle aux allures de latrines. L'esplanade était un taudis. L'urbanisation et le développement économique qu'a atteints Jérusalem sont le fruit du travail des équipes qui se sont succédé à la tête de la municipalité depuis son intégration à Israël. Dans les dix années qui suivirent la réunification de 1967, le niveau de vie des Palestiniens changea du tout au tout. Leur pouvoir d'achat fit plus que doubler.

Le peuple palestinien connut la croissance économique jusqu'au jour de la première intifada où le cycle infernal de la misère et de la violence s'enracine. L'état de guerre suscité par une telle situation interdit la stabilité nécessaire à des relations saines, à un développement économique pérenne. Je souffre de voir à quelles extrémités le refus nationaliste et dogmatique d'islamistes souvent haineux a pu conduire. L'emphase d'une rhétorique grandiloquente n'a apporté que ruines, frustrations et misères. Telle est l'impasse du refus dans laquelle nous nous trouvons depuis plus de cinquante ans.

Nous entretenons un conflit sans cause et sans but, sinon la destruction de deux peuples. Les Allemands et les juifs se sont réconciliés après la Shoa et ses millions de victimes. Quand donc les Palestiniens et les Israéliens mettront-ils fin à leur conflit absurde et mortel ?

La force du prophétisme est la lucidité. Il en faut en cette époque de mutation. Nous sortons d'un millénaire pour entrer dans l'inconnu d'une ère nouvelle. Nous charrions avec nous des conceptions et des préjugés d'un autre âge dont nous devons nous débarrasser pour fonder une humanité nouvelle qui réponde aux exigences de fraternité. Ouvrons les yeux :

nous vivons des temps messianiques, ceux de la mondialisation et de la conquête de la stratosphère par les Terriens. Les préjugés et les intérêts qui font obstacle à la paix au Proche-Orient sont d'un autre âge. Il serait temps d'en libérer l'humanité.

Certaines mises au point s'imposent. Elles relèvent de nos religions, fondatrices de nos sociétés. L'Occident, prétendument laïque et agnostique – alors qu'on le voit assoiffé de spiritualité –, doit faire retour à ses sources car son avenir repose aussi sur la compréhension de ces malentendus qui hantent son inconscient collectif.

Le premier de ces malentendus, celui qui ouvre la voie aux autres, est le schisme judéo-chrétien. Étrange destin de ces frères, se conspuant l'un l'autre pour finalement esquisser une réconciliation à l'aube de cette ère nouvelle. Le même schéma prévaut à la rivalité du christianisme et de l'islam. Tous deux exprimeront cependant un commun rejet de l'origine hébraïque du message. Ainsi que l'écrit le psychanalyste Daniel Sibony : « L'origine de la haine, c'est la haine de l'origine. »

3

Le malentendu criminel

L'unité originelle des cieux et de la terre, des hommes et de la Création, a été fracassée par le premier meurtre. Le paradis nous était donné lorsqu'un fratricide, Caïn assassinant Abel, est venu bouleverser l'ordre de la Création. La Bible, essentielle, s'attache à l'essence des réalités : tout meurtre est obligatoirement un fratricide. Le meurtre d'un frère est la cause de notre damnation et de nos tourments.

Les querelles entre juifs, chrétiens et musulmans ont rempli de nos cris l'histoire, dérisoires sur le plan politique, misérables en matière de religion, fondées toutes sur un égocentrisme aveugle ou sur une criante ignorance de nos sources, la Bible, les Évangiles, le Coran, au nom desquels nous nous affrontons en d'impitoyables conflits. Dérisoires hier, nos disputes deviennent monstrueuses aujourd'hui. Hier, nous risquions la mort des hommes qui se battaient sur leurs champs de bataille, brûlaient sur leurs bûchers ou moisissaient dans leurs prisons. Aujourd'hui, l'enjeu des mêmes conflits devient prodigieusement autre et concerne la vie ou la mort de millions de personnes, sinon celle de toute trace de vie sur notre malheureuse planète.

Parvenir à une réconciliation universelle oblige les religions à sortir des ghettos où elles se sont enfermées. Cet enfermement est une réalité fondatrice de toute religion. Quand bien même l'une ou l'autre prétendait à l'universalité de sa vocation, elle enfermait les autres dans le « ghetto » des parjures, des insoumis, des infidèles, des hérétiques. Chacune forgeait les moyens de sa puissance ou de sa survie, en érigeant les murailles de son propre enfermement. Chacune dans son coin se croyait protégée, libérée, sans comprendre que les murs qu'elle bâtissait tout autour d'elle entravaient l'universalité de sa vocation. Les religions, sociologiquement préservées par leur enfermement, ont entretenu l'ignorance les unes des autres.

Aujourd'hui, cet enfermement n'a plus lieu d'être. Il n'est ni possible, ni souhaitable, de continuer à cultiver nos multiples méconnaissances. Il suffit d'ouvrir la télévision ou la radio pour que l'*Autre* s'ébatte dans notre salon. Cette nécessité d'ouverture au plus lointain, loin de nous affaiblir nous ouvre sur le monde et sur nous-mêmes. L'ouverture que nous préconisons actuellement, loin d'affaiblir les peuples et les religions, les renforce, en les ramenant à l'essentiel : l'amour de la connaissance et donc de la vérité, source de paix.

J'ai été l'un des premiers juifs à traduire et commenter le Nouveau Testament. Si les rabbins n'ont pas jeté l'anathème sur mon œuvre, je n'en étais pas moins suspect aux yeux de certains. Comment un « bon » juif osait-il traduire le Nouveau Testament sans risquer la conversion ? Ma traduction du Coran m'innocenta du pire : elle aggravait mon cas ! Je devenais un « récidiviste » brisant deux tabous séculaires destinés à protéger les juifs de toute assimilation dans une autre culture que l'hébraïque, sauvée de la disparition au cours d'un exil deux fois millénaire. Le fait que je ne sois devenu ni chrétien ni musulman n'était pas un rejet de l'un ou l'autre mais exprimait plutôt une volonté d'ouverture à des cultures nées des fécondités de la Bible. J'ai traduit le Nouveau Testament et le Coran avec la même rigueur et la même méthode que pour la Bible hébraïque : en me soumettant à son texte grec ou arabe. Je n'ai pas eu besoin de me convertir au christianisme ni à l'islam pour aimer l'Allah du Coran comme le Dieu des Évangiles. Nous pouvons diverger dans la lecture des textes – il y a une lecture chrétienne, juive, musulmane, universitaire – tout en comprenant et en aimant son prochain. Nul besoin pour cela de se fermer à la synergie du dialogue intercommunautaire et interreligieux.

Tout dialogue aide à la réalisation de l'Alliance entre les peuples. Nous ne devons pas craindre de nous exposer au nécessaire travail de conscience qui commence par une étude objective des faits historiques afin de faire la part des responsabilités et mettre en lumière les faux arguments, les odieuses accusations qu'agitent les chantres de la division. En premier lieu ceux qui utilisent un message divin pour mieux masquer leur haine : ils en viennent à exclure et même à assassiner au nom de leur Dieu.

Au cours de mes traductions de la Bible hébraïque, du Nouveau Testament et du Coran, je n'ai rien relevé, jamais, en aucun de ses livres ou de ses versets, qui puisse justifier les bûchers et tortures, les infamies et calomnies colportées, les exclusions, ou les haines parfois attisées, de tout temps et en tout lieu, par la religion. Au-delà de leur trame historique, toutes glorifient Dieu en un égal chant d'unité et d'amour.

L'attitude lapidaire de certains hommes de religion, et des fidèles qui leur emboîtent le pas, est inqualifiable et impardonnable. Abraham, père reconnu de nos trois religions monothéistes, a reçu un message appelant à l'unité. Chaque prophète affirme et confirme le respect qu'il porte aux enseignements de ses prédécesseurs et appelle à la réalisation immédiate et totale du Message. Chaque prophète vient nous exhorter à vivre selon la Loi, à rédimer en premier lieu notre propre cœur, non pas celui du voisin, et ne pas ajouter une division supplémentaire à celles qui règnent déjà. Le monde que les prophètes dénoncent est celui de l'absence de Dieu, celui des vases brisés, des citernes crevassées où règne la mort. Dès lors la recherche du juste se situe sur la voie de l'incarnation du salut de I$\overset{\text{Adonaï}}{\text{HV}}$H, de la réintégration de Sa présence au sein du monde brisé.

L'histoire des déchirures sanglantes a commencé il y a deux mille ans, entre juifs et chrétiens. Le schisme entre le judaïsme et le christianisme allait provoquer de multiples désastres. Leurs échos résonnent encore au-delà des ruines des camps de la mort nazis. De nos jours, dans certains milieux chrétiens, le préjugé antisémite annihile une symbiose naissante.

Le Message d'Elohîms est le tronc de l'arbre biblique. Le judaïsme en rappelle les racines et le christianisme en offre les fruits. La scission judéo-chrétienne priva les racines de leurs fruits, et les fruits de leurs racines. Cet arbre générateur de Bien doit retrouver son unité pour à nouveau resplendir dans son printemps de l'espérance et l'éternité de ses saisons.

Les Hébreux exilés de Judée par l'Empire romain étaient entièrement tournés vers la sauvegarde de leur culture et de leur identité, consacrée à I$\overset{\text{Adonaï}}{\text{HV}}$H, l'Elohîms du Sinaï. De fait, les chrétiens n'avaient pu obtenir le soutien qu'ils espéraient pour étendre au monde le bénéfice du salut promis. La logique a alors voulu qu'ils considèrent Israël comme religion concurrente sans réaliser que c'était non seulement une religion mère, mais surtout une nation vaincue et exilée ne pouvant guère, dans cette situation historique, diffuser le message dont étaient porteurs ses enfants. Pour le juif de l'exil, tout prosélytisme était à la fois impossible, interdit et lourdement sanctionné. En l'attente du Retour promis, seule comptait la survie d'Israël. Le peuple s'attacha à la conservation de ses biens fondamentaux : la Tora, la langue, la culture, l'espérance, qui selon la vision des prophètes de la Bible, les ferait un jour renaître en tant que nation dans son berceau originel, la Judée dont les habitants exilés, les Judéens, *Iehoudims*, sont devenus les « juifs » dans les nations.

Le déicide

Quand, entre l'an 160 et 170, Méliton, un évêque de Sardes, déclara dans un sermon : « Dieu a été assassiné, le roi d'Israël a été tué par la main des juifs », il ouvrait la porte à deux millénaires d'antijudaïsme légitimé. La chrétienté avait son bouc émissaire désigné : le juif. Cette accusation toute faite, si simple et si pratique, tranchante comme le rasoir, fut spontanément adoptée et diffusée comme la plus géniale des inventions. L'Église avait enfin trouvé une arme efficace qui lui assurerait progrès et prospérité, à l'ombre de nations trop heureuses de se voir fournir un alibi « rationnel » à l'étouffement de la voix d'Israël.

Constantin, au concile de Nicée, consomme la rupture de l'Église d'avec la Synagogue : le peuple juif est chargé de tous les maux et vices, il est collectivement responsable de la moindre tare humaine. Le « peuple déicide » perd dans l'Empire chrétien tous ses droits : il devient le paria hors la loi, poursuivi par la « colère de Dieu », qui enfin a révélé pourquoi, selon les mots de saint Paul, ce petit peuple est « la balayure du monde ».

Cette accusation de déicide recelait en fait une sorte de matricide. Les chrétiens, et plus tard les musulmans – à qui des siècles de colonisation permirent de méditer cette idée –, supprimaient ainsi leur source matricielle, afin de se libérer de toute sujétion par le meurtre symbolique qu'effectue tout jeune enfant. Malheureusement, le meurtre des juifs, qui n'eut rien de symbolique, se justifiait par ce que l'on peut facilement qualifier d'hérésie : comment est-il possible à un homme de tuer Dieu ? Dieu peut-il être tué ? Cette question pourrait prêter à sourire si la réponse affirmative qui en fut donnée n'avait été durant des siècles assenée à des populations qui en firent un leitmotiv, un dogme implacable dont la véracité aurait dû être mise en doute. Ignorance, idolâtrie, folie ? Incompréhension consternante d'un scandale historique inexplicable ?

Jésus crucifié

J'ai eu la pudeur et la prudence de ne pas trop écrire sur Jésus. Plutôt que de le faire, j'ai préféré publier mes commentaires des quatre Évangiles puis du Nouveau Testament qui complétaient sur ce sujet ce que j'avais dit dans mes *Lettres à un ami arabe* et *à un ami chrétien.* Afin de m'en tenir à la tragédie centrale de cette vie, je choisissais de porter le procès au théâtre pour rouvrir un dossier deux fois millénaire mais toujours actuel. La troisième journée de mon *Procès à Jérusalem* extraite de cette pièce a été présentée pour la première fois au Palais des arts et de la culture de Brest, le 24 mars 1979, dans une mise en scène de Jean Davy, un dispositif scénique d'Odille Mallet et une musique de Jean Dalthuis. La pièce tourna ensuite dans plusieurs villes de France. J'en concluais le préambule par l'appel suivant :

> Que vous soyez de lumière ou de ténèbres, c'est de vous qu'il s'agit dans le mystère de la naissance, de la crucifixion, du réveil et du relèvement de ce juste crucifié à Jérusalem parmi les six cent mille de ses frères tués, eux aussi, par ses assassins.

Le drame se compose d'un prologue : *Nativités et enfances.* Il se situe sur les monts de Judée, au Temple, dans une étable à Bethléem puis dans une synagogue. Une première journée a pour thème l'Annonce du Royaume, à Qumrân, sur les rives du Jourdain et s'achève sur la décapitation de Jean Baptiste.

La deuxième journée est consacrée au Fils de l'homme. Jésus apparaît en Galilée, dans le Golan, source inépuisable de paraboles qui répandent universellement le feu de l'Alliance. La troisième journée de ce *Procès* évoque le complot ourdi dans le Sanctuaire, un sabbat de Pâque. Au cours du repas pascal, l'arrestation de Jésus déclenche le drame qui consomme la condamnation puis la crucifixion de Jésus.

Un épilogue conclut la pièce par un cri : « Déclouez l'homme. » L'appel était à la libération universelle. Par nos fautes, par nos crimes, par nos carences, Dieu est le vrai vaincu de l'histoire. Le monde serait perdu si des hommes nouveaux n'assumaient pas la charge de se faire vrais témoins de l'Amour.

> Juifs, chrétiens, musulmans, hommes de tous les pays et de toutes les cultures, réunissez-vous auprès de vos sources : entendez, entendez le message de justice, de paix et d'amour

> qui constitue l'essence des appels lancés de Jérusalem par vos prophètes et vos apôtres. Devenez en Vérité des sauveurs d'un monde qui court à sa perte. Déclouez l'homme de toutes les croix du monde. Afin que la vie triomphe de toutes les morts, la paix de toutes les guerres, l'amour de toutes les haines.
>
> (*Procès à Jérusalem,* Paris, 1980.)

Qui sont les chrétiens ?

Les chrétiens se distinguaient des autres adorateurs de l'Elohîms d'Israël sur deux plans : ils voyaient en Iéshoua', Jésus, le messie, le fils de Dieu et le sauveur du monde. Une fois exclus de la Synagogue par les Pharisiens après que ceux-ci, à la suite du génocide romain, eurent réussi à prendre la direction exclusive des survivants de la nation, les apôtres de la foi nouvelle s'adressèrent au monde païen plutôt qu'aux communautés juives désormais attachées à la garde de leurs racines. Mais aux yeux des Romains, et des autres païens, tout le débat judéo-chrétien n'était fait que d'incompréhensibles arguties, l'essentiel étant à leurs yeux que tous les Hébreux et les païens « judaïsés » rejetaient « fanatiquement » les dieux de Rome et avec eux les idoles de toutes les nations. Par ce rejet, ils tombaient ensemble sous le coup des lois de l'Empire qui les condamnaient indistinctement pour crime d'athéisme ou de lèse-majesté impériale. La confrontation entre Rome et Jérusalem avait un caractère d'autant plus fatal qu'en contestant les idoles, juifs et chrétiens ébranlaient en ses assises le pouvoir politique qui en émanait et qui puisait en elles sa propre légitimité.

Il est classique de reconnaître trois étapes dans l'essor du christianisme : dans un premier temps, l'Église primitive, entièrement hébraïque dans ses racines, vit de la foi purement eschatologique en Iéshoua', le messie rédempteur et sauveur ; par la suite, la chrétienté naissante s'éloigne davantage du judaïsme pharisien, et se développe sur l'impulsion des Hébreux hellénisés et du plus éminent d'entre eux, Paul. La troisième période commence après la destruction du Temple de Jérusalem, les massacres et les déportations qui suivirent cet événement, avec la fondation de la première Église catholique, apostolique dans son esprit et romaine dans sa direction, sous le contrôle de païens convertis au christianisme ; elle aboutira à la « conversion » de l'empereur Constantin et à la proclamation du christianisme en tant qu'unique religion officielle de l'Empire.

Interpréter les Évangiles, les Actes ou les Lettres, qui appartiennent à la première ou tout au plus à la deuxième période de l'Église primitive, à la lumière de la troisième période où triomphe l'Église catholique, apostolique et romaine, contribue à rendre plus inextricable l'affrontement judéo-chrétien. Celui-ci s'est manifesté avec le rejet par les juifs de tout ce qui pouvait, de près ou de loin, leur rappeler la religion de la Croix, devenue crucifiante pour eux ; et, pour les chrétiens, par un éloignement grandissant de leurs sources hébraïques.

Pendant les deux premières périodes que nous venons de définir, le conflit le plus profond n'est certainement pas celui qui oppose la Synagogue à l'Église, mais l'opposition de l'une et l'autre à l'Empire romain. La contradiction fondamentale entre l'Église et la Synagogue n'est pas d'ordre théologique mais téléologique. L'Église ayant choisi pour fin la conversion des païens et le Royaume de Dieu ; la Synagogue ayant été contrainte de se replier sur elle-même, de renoncer à tout prosélytisme, pour, sur les ruines de son Temple, de sa terre et de son peuple, resserrer les rangs des survivants et les organiser de telle manière qu'ils puissent sauver, avec la Bible hébraïque, les sources de leur langue, de leur culture et de leur religion, en attendant l'heure promise par leurs prophètes de leur retour et de leur résurrection. Le choix de l'Église l'éloignait de ses sources hébraïques et semblait constituer une trahison au regard de la Synagogue. L'option de la Synagogue paraissait être une folie ou une perfidie aux yeux de la chrétienté.

À l'époque du Nouveau Testament

Devant le Nouveau Testament, l'interprète se trouve en face d'une musique dont la partition originale aurait été perdue. Oubliée, c'est elle, aujourd'hui, qu'il convient de retrouver.

Jésus – il s'appelait en fait Iéshoua' qui, en hébreu, signifie « *sauveur* » –, comme ses compagnons, vivait, pensait, parlait en hébreu et en araméen. Les évangélistes, les apôtres, même lorsqu'ils écrivaient directement en grec, pensaient en Sémites. Pour les retrouver – eux et non l'idée que l'Occident s'en est faite parfois –, il faut prendre assez de hauteur au regard du texte grec – le seul cependant à faire foi – pour en redécouvrir, scellées dans ses profondeurs, les significations réelles.

J'ai parlé de musique : celle-ci n'a jamais cessé de retentir en chrétienté à travers les siècles et les continents, nourrissant une espérance religieuse et donnant ainsi naissance à une civilisation dont aujourd'hui l'univers entier demeure, directement ou indirectement, tributaire. Peu de livres, même de la Bible, auront eu le prodigieux et constant écho suscité par le Nouveau Testament et plus particulièrement par les Évangiles, non seulement au sein des Églises chrétiennes mais aussi hors de leurs limites. L'islam de son côté a recueilli et commenté ces textes, parfois avec génie. Ainsi l'histoire universelle a-t-elle pris une direction nouvelle à partir d'un dramatique événement survenu en Judée, au Ier siècle de l'ère chrétienne dont il marque le départ.

À l'époque où Iéshoua' apparaît dans l'histoire, rien n'est plus contraire à la vérité historique que d'imaginer un milieu hébraïque homogène en Judée ou en Galilée. Jamais le judaïsme ne fut l'unique religion de ce pays.

À la complexité des régimes et des dominations qui passent en laissant leurs empreintes dans le pays, se superposent les multiples divinités païennes qui se disputent les faveurs des peuples en se dressant, unanimes, contre l'insolite prétention de IHVH[Adonaï] d'être le seul digne d'adoration.

Cependant, les idoles adorées dans les temples souvent somptueux sont légion : la Bible, les littératures contemporaines, les chantiers archéologiques, parfois de simples tessons, nous livrent les noms de ces dieux parfois proches parents de l'Elohîms des Hébreux : Ba'al, El, Eloah, Ellah, Adôn, Réshèf, Mékaf…

Les dieux égyptiens ne sont pas oubliés pour autant, eux dont la fille de Pharaon avait introduit officiellement le culte à la cour de son époux Salomon (1 R 3,1 et suiv. ; 11,1 et suiv.). La plus importante de ces divinités deviendra au cours des temps Rê dont le culte eut pour centre spirituel Héliopolis. Mais Horus, le dieu faucon, Bastet, la déesse chatte, Baboun, le dieu chien, continuent d'être adorés depuis le delta jusqu'à la cinquième cataracte du Nil. Cette zoolâtrie provoqua la colère et le mépris des prophètes d'Israël, au même titre d'ailleurs que le culte des souverains divinisés adorés sur les autels, avec Ptah, le créateur de l'univers, assisté par une suite innombrable de divinités et de dieux rois. Ce que les prophètes condamnaient, plutôt que la multiplicité des dieux, était les crimes innombrables que les cultes à ces divinités permettaient, trahissant les fondements de leur nouvelle culture de l'Unique.

Auprès des idoles du Proche-Orient et de l'Égypte dont le culte demeure vivace dans l'esprit de maints contemporains de Iéshoua', les divinités adorées dans le monde hellénistique et romain prennent une importance grandissante, avec leur tendance à l'historicisation des mythes. Depuis l'occupation du pays par les armées grecques, puis romaines, les dieux adorés sur l'Acropole d'Athènes et sur le Palatin de Rome ont droit de cité à Jérusalem.

Il paraît impossible de bien comprendre l'histoire religieuse du Ier siècle de notre ère sans tenir compte du syncrétisme régnant entre l'hébraïsme et le paganisme qui exercent l'un sur l'autre des influences et, parfois, une fascination irrésistibles.

À l'adoration des dieux, l'Empire romain, comme l'Égypte pharaonique, allie la glorification et parfois la déification des empereurs. Le fait est que le culte public de l'empereur fut régularisé par Auguste (63 av.-14 ap. l'ère chrétienne).

Avant Néron, une autorisation impériale était nécessaire pour établir officiellement, dans une ville ou une province, le culte d'un empereur ou d'un membre de la famille impériale. Cette autorisation accordée, liberté était donnée à ses impétrants d'organiser ce culte à leur convenance. Néron était « le Nouvel Apollon » à Athènes et « Asclepius Caesar » à Kos. Hadrien fut adoré comme un avatar de Zeus Olympien ou Zeus des Frontières. À Chypre, des prêtres étaient spécialement consacrés à l'immortalité des empereurs. La religion romaine permettait ainsi la divinisation d'un empereur seulement après sa mort, mais les provinces, suivant les principes établis par Auguste et en vigueur jusqu'à l'extinction de l'Empire, avaient pris la liberté d'organiser le culte d'empereurs encore en vie.

Dans l'esprit des Romains, un mortel pouvait échapper à la mort, et ainsi devenir dieu par son ascension au panthéon : le sénat ne faisait que prendre acte officiellement d'un état de fait qu'il constatait à la mort d'un empereur. C'est ainsi que, selon Ennius, Romulus lui-même fut transporté vivant « dans la voûte azurée des ciels » : là, il s'identifia à Quirinus, un des dieux traditionnels de la cité. En cela Rome suivait une tradition immémoriale selon laquelle une multitude d'empereurs et de rois avaient été adorés en tant que dieux en Égypte pharaonique, chez les Assyriens comme dans les royaumes hellénistiques.

L'extrême complexité de ces faits interdit donc de présenter l'histoire de Jésus et de la naissance de l'Église comme une confrontation du « judaïsme » et du « christianisme », comme si ceux-ci avaient déjà la forme qu'ils prendraient au cours des siècles, et comme s'ils s'affrontaient dans un désert politique, économique ou religieux. Cette manière de voir est d'autant plus inadmissible que ni le judaïsme ni le christianisme n'ont alors les caractères qu'ils prendront ultérieurement et plus particulièrement à partir du IVe siècle, après la conversion de Constantin suivie par la proclamation du christianisme en tant qu'unique religion officielle de l'Empire.

La maison d'Israël, ruinée par six siècles de domination étrangère à peu près ininterrompue, est exsangue, épuisée par les outrances de l'impérialisme et du colonialisme des Assyriens, des Babyloniens, des Perses, des Grecs et des Romains. Ces derniers, détruisant le Temple en l'an 70, saccageant le pays et bannissant les survivants des massacres, crurent donner le coup de grâce à un peuple qu'ils avaient toutes les raisons de penser avoir exterminé.

Dans ce contexte religieux et politique, les Hébreux fidèles à I$^{\text{Adonaï}}_{\text{HV}}$H se sentaient tous assiégés par les menaces des paganismes ambiants comme par les excès des légions romaines. L'Empire se proclamait volontiers libéral vis-à-vis des peuples soumis à sa loi, mais ses généraux et ses légions n'admettaient aucune atteinte à la *lex laese majestatis* (crime de lèse-majesté) et à la *pax romana* (la paix romaine). Tout ce qui pouvait la troubler était écrasé dans le sang. Rome avait ainsi réduit Carthage et Corinthe (146), Numance (133), les Cimbres (101), les Helvètes et les Suèves (58), la Germanie et la Bretagne (55), la Gaule (52-50), toute l'Afrique du Nord (33), tandis que ses généraux mettaient le cap vers l'est, s'emparant de la Cilicie et de la Syrie du Nord (83-81), de toute la Syrie (64), intervenant enfin en Judée (63) et en Égypte (59).

Rares sont les lecteurs du Nouveau Testament avertis de ce qu'à la naissance de Jésus – Iéshoua‘ bèn Iosseph –, le seul maître de la Judée est l'empereur Auguste, et qu'à sa mort Tibère est, en droit comme en fait, le seul roi des Judéens. Pour une exacte compréhension de cette époque, il faut avoir présent à l'esprit le tableau qui fixe la succession des empereurs, des procurateurs ou préfets de Judée Samarie, de Galilée et des légats de Syrie : le pays faisait une grande consommation de procurateurs comme aussi de grands prêtres nommés et déposés par le gouverneur romain qui, de l'an 6 à l'an 41, usa de ce droit huit fois au moins.

Il faut savoir que Iéshoua‘ naît dans un pays dont le maître absolu est Auguste, puis Tibère (en 14), l'un comme l'autre chef religieux de l'Empire, *Pontifex Maximus*. Le culte de l'empereur, consacré dans tout l'Empire par des jeux publics, est celui du *Genius Augusti*, celui qui incarne les énergies divines de Jupiter, cousin romain de Zeus, dont l'empereur est le fils sur terre.

Le royaume de Judée ayant été saccagé jusqu'en ses fondements et son peuple détruit ou exilé, la mémoire se fit d'autant plus oublieuse qu'à la suite de la dernière révolte juive, sous la férule d'Hadrien, celui-ci ayant fait raser le Temple jusqu'en ses fondements, rebaptisa Jérusalem *Aelia Capitolina*, du nom de sa propre famille, les *Aelius*, et de la Triade capitoline Jupiter, Junon et Minerve, érigée en « trophée » sur l'emplacement même du Temple. Le pays quant à lui fut rebaptisé du nom de « Palestine » en référence aux Philistins, « les peuples de la mer ». Une histoire souvent imaginaire prit dès lors la place d'un contexte historique inaccessible. D'où l'urgente nécessité de l'effort, inlassablement poursuivi depuis un siècle, pour replacer la vie et la mort de Jésus dans la réalité historique de son temps.

Iéshoua' en son temps

Iéshoua' grandit dans l'atmosphère barbare de la répression romaine. Enfant, il entend parler dans sa famille des monstrueux excès d'Hérode, le tyran sanguinaire dont il fallut fuir la menace en quittant à sa naissance la Judée pour se sauver en Égypte. À Nazareth, dans l'atelier de son père, il a pu rencontrer des maquisards, fuyant dans les collines de Galilée la répression romaine.

Comme tous les Hébreux, Iéshoua' dès sa naissance est nourri de la Bible. Il connaît bien vite par cœur, en hébreu, les textes sacrés dont on lui explique le sens en une langue plus familière, l'araméen. Il vit de la Tora dont il accomplit les *mitsvot* (commandements), et obéit aux rites, de sa naissance à sa mort. Ses journées, ses semaines et ses années se dérouleront au rythme des prescriptions et des liturgies bibliques : la Bible hébraïque est pour lui comme pour tout Israël non seulement une référence suprême, exprimant la volonté de $\text{I}\overset{\text{Adonaï}}{\text{HV}}\text{H}$, mais un maître de vie omniprésent.

Comme on ne saurait dissocier la Tora de la vie d'Israël, Iéshoua' connaît également par cœur l'histoire de son peuple et ses biographes reconnaîtront en lui un descendant de la dynastie de David, ayant de ce fait vocation royale, messianique.

Probablement très tôt les regards de son peuple se tournent vers lui : que pourra-t-il faire pour le sauver ? De salut, il n'en est qu'en $\text{I}\overset{\text{Adonaï}}{\text{HV}}\text{H}$. Lui seul est suffisamment puissant pour contrecarrer les desseins des nations et rétablir le Royaume sur terre. Les Évangiles sont le récit de la vie pathétique de Iéshoua' bèn Iosseph et de l'action qu'il prépare dans le silence de sa retraite galiléenne et mène dans la fulguration d'une prédication qui s'achèvera sur la croix.

L'historien perd pied dans l'océan de questions que soulèvent les quatre récits que les évangélistes font des derniers jours de la vie de Iéshoua', de sa dernière célébration de la fête pascale, de son procès, de sa crucifixion, de sa mort et de sa résurrection.

Il est difficile, voire impossible, de comprendre la réalité d'un fait sans l'insérer dans son contexte historique. Or le Nouveau Testament ne dit à peu près rien de ce qui se passe réellement en Judée à l'époque du Christ. Pourquoi ce silence ? Il est d'évidence que les évangélistes ne sont pas des historiens ni même des chroniqueurs ; leur unique centre d'intérêt c'est la vie, la mort et la résurrection de Iéshoua' dont ils espèrent le salut. Ce qui se passe autour d'eux en Judée et dans l'Empire est, à l'époque, subi par tous, alors pourquoi en parler, d'autant plus que la censure romaine punissait de mort ou de déportation tout crime de lèse-majesté d'une majesté qui a un seul visage, celui de César.

De surcroît, il est dangereux de mettre en cause à quelque titre que ce soit l'empereur, l'Empire et l'administration impériale : le moindre poème jugé litigieux, toute critique, toute atteinte à la gloire de l'Empire et à la *pax romana* est passible de mort en vertu, on l'a vu, de la *lex julia laese majestatis*, le crime de lèse-majesté, dont les sanctions ont été aggravées par Auguste. Alors le mieux est de se taire : tout le monde se comprend à demi-mot. Lorsqu'il s'agit de s'exprimer, on utilise un langage codé, à l'instar du moderne samizdat, difficilement compréhensible par l'occupant : les Hébreux emploient le style apocalyptique et des noms à clé pour dire ce qu'ils pensent de l'Empire qui les écrase. Pour le reste, à tous points de vue, le silence est d'or.

Les questions que soulève le texte du Nouveau Testament sont souvent insolubles parce que les faits ont été disjoints des réalités dans lesquelles ils sont nés, d'autant plus radicalement que celles-ci furent oubliées presque totalement pendant des siècles. La recherche historique contemporaine permet de jeter une lumière nouvelle sur des textes qu'elle arrache à l'abstraction théologique, aux faux semblants de perspectives tronquées par l'inscription dans le passé de réalités, de situations et d'idées qui leur sont postérieurs de plusieurs siècles.

Le dernier repas de Iéshoua' parmi ses disciples puis son arrestation sont suivis par la concertation d'adversaires ayant chacun des motivations personnelles, mais tous sont d'accord sur un point, celui de se débarrasser du problème posé par ce messie qui soulève l'enthousiasme des masses en le remettant au plus vite aux Romains. Ces derniers ne voient et ne peuvent voir en Iéshoua' qu'un agitateur. Qu'il soit proclamé *roi des Juifs* est d'autant plus redoutable à leurs yeux que la foule de ses partisans grandit sans cesse. Pour l'heure, le seul roi de Judée, en droit et en fait, nous l'avons dit, c'est Tibère, le divin empereur qui siège à Rome. Quiconque prétend à la royauté n'est qu'un usurpateur coupable de blasphème, de sacrilège et passible, sans autre forme de procès, de la peine de mort en vertu de la *lex julia laese majestatis*. Pilate, comme Caïphe, n'a besoin que de savoir si Iéshoua' prétend ou non à la royauté d'Israël. Dans l'affirmative il n'a aucun autre choix que de le livrer aux bourreaux qui le crucifieront. S'il ne le faisait pas, ce serait lui-même qui serait châtié, destitué de ses fonctions pour déni de justice et banni.

L'horrible tragédie se consomme alors sur la croix surmontée de la *tabula* qui expose à tous le crime : celui de s'être proclamé roi. *Iéshoua' de Nazareth, roi des Juifs*. Sur les crucifix modernes, cette inscription se lit I.N.R.I. : *Iesus nazarenus rex iudaeorum*. Cloué sur sa croix, Iéshoua' meurt comme un agitateur, coupable d'avoir prêché la Tora d'Adonaï Elohîms, Dieu des Hébreux révélé à Abraham.

L'injustice faite à Paul

Méliton, l'évêque de Sardes, devait être dans l'inconscience totale de ces réalités quand il lança, à l'encontre du peuple juif, l'accusation de déicide. Pour autant, le schisme judéo-chrétien s'appuie parfois, de manière tout aussi infondée, sur les écrits de Saul de Tarse, saint Paul. La méconnaissance des faits historiques a souvent conduit à le présenter comme un apôtre « antisémite ».

Mais Paul est profondément juif lorsqu'il fait de l'histoire de son peuple le fondement de sa pensée théologique : les chapitres 9 à 11 de la lettre aux Romains constituent l'une des apologies les plus éloquentes d'Israël. Ce qu'il reproche aux juifs, l'application de la Loi pour la Loi, sans l'Amour, n'est pas encore une notion théologique abstraite des réalités de la vie ou plaquée sur elles, comme conséquence du mythe obsessionnel du déicide ; ce sera le cas aux IIe et IIIe siècles, et plus lourdement encore au IVe siècle après la conversion de Constantin.

Bien que Paul ait été décapité à Rome, par les Romains, vers l'an 66, sa pensée, à cause peut-être du rôle déterminant qu'elle a joué dans la formation de l'Église, est constamment interprétée comme si elle avait été formulée après le désastre de 70 ainsi que le pensent beaucoup de chrétiens insuffisamment attentifs aux réalités internes du monde juif. Cela se vérifie également chez les adversaires juifs de l'apôtre des Gentils, sans doute peu soucieux de s'informer de la chronologie paulinienne. Ils voient en Paul l'ennemi d'Israël, l'auteur du schisme judéo-chrétien et le principal responsable des malheurs que ce schisme – et les mesures antijuives qu'il a inspirées ultérieurement à l'Église – a valus aux juifs qui avaient échappé au génocide perpétré par l'Empire romain. Une rigoureuse analyse des faits, compte tenu de leur contexte historique, aboutirait de part et d'autre à une plus juste appréciation de la vie et de l'œuvre d'un des plus puissants génies juifs de l'histoire.

À la différence d'une importante fraction du judaïsme hellénisé, Paul n'a jamais rompu avec ses racines hébraïques et rabbiniques, qu'il connaissait infiniment mieux qu'un autre grand juif de son temps, Philon d'Alexandrie. Le savant catholique Bonsirven avait bien vu jadis que la pensée de Paul ne peut se comprendre en ses sources qu'à la lumière des perspectives et des techniques de l'exégèse rabbinique.

De fait, Paul resta inébranlablement fidèle jusqu'à la mort au Dieu et au peuple d'Israël : comme ce fut le cas pour Iéshoua', il est condamné à mort par les Romains en tant que juif jugé rebelle. Malgré l'antilégalisme qu'on lui prête systématiquement sans trop se soucier de la signification réelle de ses analyses sur la foi et la loi, Paul est resté toute sa vie un juif fervent et pratiquant. Il trouvait dans les communautés juives de la diaspora un accueil généralement ouvert.

Au sein de la communauté nouvelle, Pierre et Paul avaient des opinions fort différentes sur la place à donner à la « loi » dans l'Église. Paul lui-même, en la matière, a une pensée fort nuancée dont la subtilité échappe souvent aux analystes. En fait, la Tora est pour tous la parole de I[Adonaï]HVH et nous assistons à Jérusalem, à Antioche, en Galatie à l'effort de pensée qui permettrait l'entrée des païens au sein du peuple de I[Adonaï]HVH, sans que la stricte observance des *mitsvot* conditionne leur conversion. À ce problème théologique, Paul apporte la réponse la plus complète et la plus élaborée qui soit en voyant dans le messie le fondement de l'unité entre païens et Hébreux.

La lettre aux Galates constitue ainsi un document de première importance, écrit par le principal agent de l'établissement de l'Église hors de Terre sainte, dans les territoires hellénistiques et romains. En dehors de sa valeur historique, elle constitue un témoignage de valeur inappréciable pour pénétrer dans l'intimité de la vie, de la pensée et de la psychologie de l'apôtre des Gentils, illuminé par son appel prophétique et messianique.

Cette lettre est la troisième en date des lettres de Paul (vers 55/57) ; elle constitue l'un des documents les plus significatifs de la manière de « l'apôtre des Gentils » et l'un des plus révélateurs de la naissance de l'Église. Son influence a été grande dans l'histoire de la chrétienté qui la range, malgré sa relative brièveté, à la suite immédiate des lettres aux Romains et aux Corinthiens ; elle sert d'arme principale dans tous les débats en faveur de la liberté de l'esprit contre les lourdeurs de tous les légalismes.

Paul s'emploie à démontrer que ce n'est pas l'observance des *mitsvot* qui sauve, mais l'adhésion de l'homme à I$_{\text{HV}}^{\text{Adonaï}}$H, à sa Tora, à son messie. Une première preuve en est donnée par les manifestations charismatiques consécutives à la conversion des Galates (3,1-5). Vient alors la démonstration scripturaire de l'argument (3,6-14). L'histoire d'Abraham prouve que sa foi procure aux païens de naissance la plénitude des bénédictions divines. Suit l'argument juridique du testament (3,15-18) et la définition de la nature de la *mitsva* qui est un moyen d'accéder à la perfection et non une fin en soi.

Le thème de la liberté messianique peut alors se développer, que Paul illustre par l'exemple des deux femmes d'Abraham (4,1-31). La dernière partie de la lettre est consacrée aux implications éthiques de ce message (5,1–6,10). Enfermer la communauté messianique nouvelle sous le joug de la *mitsva*, fût-elle l'abrahamique circoncision, serait amoindrir l'universalité du message.

La conclusion, écrite de la main de Paul, qui jusqu'ici avait dicté sa lettre, revient sur le rejet des propagandistes qui voulaient imposer la circoncision aux païens convertis, ce qui était contraire aux traditions des pharisiens.

La critique s'évertue à cerner l'identité des adversaires de Paul en Galatie : les commentateurs voient généralement en eux des « judaïsants » s'opposant aux développements d'une doctrine nouvelle, celle de l'Église naissante. Cette perspective simplifie à l'extrême les données d'un problème autrement complexe. Parler à l'époque de « judaïsme » comme de la réalité monolithique qui deviendra la sienne au cours des siècles n'a à vrai dire aucun sens, compte tenu de l'extrême diversité des tendances non seulement des sectes diverses mais, à l'intérieur de chaque secte, des écoles différentes. Le judaïsme est la religion de l'Exil et le mot qui le désigne est né en 1220.

Quel que soit l'antilégalisme de Paul, il devait paraître moins grave aux yeux des maîtres du pharisaïsme que l'allégorisme systématique de Philon, par exemple. Paul, de toute manière, n'a jamais rompu et n'a jamais demandé aux juifs de rompre avec la pratique des commandements de la Tora. Il souhaitait par-dessus tout que cette pratique ne s'exerce jamais sur le mode d'une contrainte mais dans l'adhésion de la foi et de l'amour. Même au regard des rabbins les plus intransigeants, la pratique des *mitsvot* n'était obligatoire que pour les Hébreux, et non pour les païens.

Les sources de l'histoire de Iéshoua‘

En dehors du Nouveau Testament, les sources de l'histoire de cette époque sont rares, lacunaires et problématiques ; une fois de plus, ce que nous ignorons est plus important que ce que nous croyons savoir. La littérature hébraïque de ce temps, quoique abondante, présente le plus souvent d'insurmontables difficultés de datation et d'interprétation. Étant généralement d'inspiration pharisaïque, elle élimine de ses horizons tout ce qui n'est pas de ce parti. Nous ne saurions à peu près rien des esséniens si les manuscrits de la mer Morte n'avaient été découverts en 1947, et rien de Iéshoua‘ si l'Église fondée par lui n'avait recueilli et transmis le Nouveau Testament. Quant aux sadducéens et aux zélotes, ils sont les plus défavorisés, car ils n'ont laissé que très peu de documents de première main. Leurs mouvements ayant été totalement écrasés au cours des Ier et IIe siècles, personne d'autre ne fut intéressé à en recueillir les vestiges. Sectes et partis sont engagés dans un combat si sévère, qu'ils ne savent, dans leur fougue polémique, que transmettre leur propre message.

Les sadducéens, le parti des prêtres et des grands, farouchement attachés à la grandeur du Temple et à la suprématie de la nation élue, fondaient leur conservatisme spirituel et politique sur la fidélité intransigeante à la lettre de la Tora de Moïse. Seules les dispositions légales et les croyances explicitement formulées dans le Pentateuque engageaient la pratique d'Israël ; d'où une extrême sévérité en matière pénale (talion) ; d'où leur refus de la survie, de l'éternité de l'âme ou de la résurrection des morts professées par les pharisiens, mais insuffisamment attestées à ses yeux dans la Tora de Moïse. Attaché au Temple, le parti des sadducéens périt avec lui.

Les pharisiens, dont l'importance ira en grandissant à partir de Jean Hyrcan (135-104), admettaient la tradition orale qui donnait autorité aux docteurs, pour interpréter la Tora et l'adapter, en fonction de principes définis, aux circonstances concrètes de l'histoire. Les pharisiens (*perushim* signifie : les « séparés ») constituaient une sorte d'ordre religieux ; à la fois contemplatifs, prêcheurs et enseignants, ils définirent les concepts religieux essentiels du judaïsme : justice de Dieu et liberté de l'homme, immortalité personnelle, jugement après la mort, règne de gloire. Toutes ces doctrines, notamment par l'intermédiaire de Paul qui se proclamait avec fierté « pharisien, fils de pharisien », ont été adoptées par l'Église. Les jugements péjoratifs que l'on porte souvent sur le compte des pharisiens sont injustes, sinon grossiers, et ne tiennent aucun compte du rôle déterminant qu'ils remplirent dans la vie religieuse du judaïsme et, on peut bien le dire, du christianisme. Au Ier siècle avant l'ère chrétienne, le mouvement pharisien était scindé en deux écoles rivales : celle de Shamaï, rigoureuse dans l'interprétation de la Tora et intransigeante (l'aile extrémiste des zélotes inspira et conduisit la révolte contre Rome), et celle de Hillel l'Ancien, plus irénique. Après la destruction du second Temple, la prédominance de l'École de Hillel assura l'unité doctrinale du mouvement pharisien et par lui la survie du judaïsme.

Les esséniens vivaient le monachisme juif sur lequel la découverte des manuscrits de Qumrân projette de nouvelles lumières. Des hommes et des femmes issus de tous les milieux d'Israël vivaient groupés en communautés consacrées à l'idéal de la vie religieuse : silence, oblation et amour. Leur nombre était relativement important, quatre mille si l'on en croit Philon et Joseph. L'israélite s'intégrait à la communauté après avoir satisfait aux exigences d'un postulat et d'un noviciat ; l'entrée dans l'alliance sainte impliquait le vœu de vivre selon la Tora de Moïse une vie de prière, d'obéissance, de pauvreté et de pureté dans la lumière du Seigneur, et la soumission à son vouloir. Les rites traditionnels prenaient leur plein sens dans l'ardente solitude de la vie cachée : purification par l'eau, communion des frères dans le vin consacré (*kidduch*) et le pain partagé au cours des repas assimilés aux sacrifices de l'autel ; prières et études communes préparaient l'âme à la vie d'éternité dans l'espérance des ultimes accomplissements de la promesse : le jugement dernier, la résurrection des morts, le royaume du Seigneur. Le monachisme juif ne devait pas survivre à l'effondrement national mais la chrétienté hérita largement, semble-t-il, de ses traditions.

Nous devons donc puiser aussi dans les sources grecques et latines : elles comprennent les œuvres de Philon d'Alexandrie (20 av.-45 ap. l'ère chrétienne), de Flavius Josèphe (37-100). À un bien moindre degré, les écrits de Nicolas de Damas, de Strabon, de Ptolémée, de Pline l'Ancien, de Tacite, de Suétone, de Dion Cassius qui, écrivant au Ier ou au IIe siècle, peuvent nous donner des renseignements épars. Ces sources, en hébreu, en araméen, en grec ou en latin, éclairent souvent et aident à mieux comprendre et à mieux situer les vingt-sept livres du Nouveau Testament.

Le texte du Nouveau Testament

À l'époque où le texte du Nouveau Testament s'élabore, Hébreux et premiers chrétiens ont pour seules écritures saintes la Bible hébraïque en ses trois parties : la Tora ou Pentateuque, les Prophètes, les Hagiographes ou Écrits. Il ne pouvait être question d'« Ancien » et de « Nouveau Testament » puisque ce dernier n'existait pas encore. Lorsque Iéshoua' et les apôtres citent les Écritures, il s'agit toujours de la Bible hébraïque. C'est seulement tardivement que les *logia* ou paroles de Jésus sont citées en tant qu'Écritures révélées.

À côté de l'Annonce – en hébreu *Bessora* – des quatre évangélistes, les chrétiens se nourrissent alors d'autres écrits qui seront considérés comme apocryphes à mesure que se définit le canon du Nouveau Testament. Celui-ci, à travers les vives controverses qui s'élèvent à son sujet en Orient et en Occident, revêt sa forme définitive vers la fin du IVe siècle – 39e *Lettre pascale* d'Athanase en 367 pour l'Orient ; Synode de Rome en 382, concile d'Hippone en 393 et de Carthage en 397 pour l'Occident.

Nous ne possédons pas les textes autographes du Nouveau Testament, pas plus que ceux de la Bible hébraïque ou des grands écrivains de l'Antiquité. Les plus anciens manuscrits du Nouveau Testament en grec datent du IVe siècle, et 72 papyrus fragmentaires remontent aux IIe et IIIe siècles.

Cependant, 242 manuscrits écrits en lettres onciales et

quelque 2 575 manuscrits écrits en minuscules et ne remontant pas plus haut que le IXe siècle ont permis d'établir, grâce à un constant effort d'érudition, de savantes éditions critiques du texte grec du Nouveau Testament, qui servent de base aux traductions.

Le substrat sémitique du Nouveau Testament

Le Nouveau Testament nous est parvenu en langue grecque telle qu'elle était écrite et parlée dans tout l'Empire, notamment en Palestine et dans la diaspora méditerranéenne, la *koinè* ou langue commune.

Au Ier siècle de notre ère, les populations de la Judée, de la Samarie et de la Galilée, comme de la plupart des pays du Proche-Orient, parlent plusieurs langues : les conquérants successifs de ces régions y ont laissé leur empreinte ; en outre, les Hébreux de la diaspora en visite ou de retour dans la mère patrie y introduisent le langage qui leur est habituel. Ainsi, la pluralité des langues et des dialectes y est aussi normale que de nos jours dans certaines régions d'Afrique ou d'Asie : il suffit de parcourir quelques kilomètres pour changer de milieu linguistique.

Cette diversité est corrigée par l'usage de deux grandes langues de communication. L'Empire perse, comme les Hébreux de retour dans leur pays après l'exil à Babylone (VIe siècle avant l'ère chrétienne), utilisait l'araméen, qui était devenu la langue internationale la plus répandue au Proche-Orient. Rome, par contre, profondément hellénisée elle aussi, avait choisi le grec, largement introduit dans la région depuis la conquête d'Alexandre (IVe siècle avant l'ère chrétienne), pour langue communément employée dans ses territoires. Les contemporains de Iéshoua‘ parlent ainsi dans leur pays trois langues principales, l'hébreu, l'araméen et le grec, auprès d'une multitude de dialectes locaux ou même de langues comme le latin, le nabatéen, le samaritain, le phénicien, différents dialectes cananéens ou philistins.

La réconciliation de l'Église et de la Synagogue

Je mis longtemps à réaliser que l'accusation de déicide dessinait la ligne de fracture. Ce fut en fait à la fin de la Seconde Guerre mondiale (1939-1945) quand, à l'instar de beaucoup d'autres, je m'efforçais de savoir comment agir pour que de telles horreurs ne se reproduisent « plus jamais ». Mon ami l'historien Alphonse Dupront, auteur d'une remarquable thèse sur *Le mythe de croisade*, dont j'avais sollicité les lumières, me pointa du doigt cet « assassinat » que les juifs expiaient depuis vingt longs siècles.

Fort de ses enseignements, je me résolus à aborder le Saint-Siège pour que nous mettions un terme à cette tragédie qui n'avait que trop duré. Cela fut un travail de longue haleine. Les traditions chrétiennes, non seulement en tant qu'opposition nationale mais aussi religieuses, mirent longtemps à s'ouvrir à cette révolution qui ramenait l'Église à ses sources.

Mes premières traductions de la Bible m'avaient ouvert les Portes de Bronze du Vatican dès 1950. J'entretenais aussi des amitiés avec plusieurs membres de la Curie auprès desquels mes idées avaient un écho. Mon ami William Frary von Blomberg, notamment, qui était introduit auprès de Pie XII, regrettait tout comme moi l'état d'ignorance réciproque qui existait entre l'État d'Israël et le Vatican. L'idée dominante, répandue depuis 1948 par les minorités chrétiennes du Proche-Orient, était que l'État d'Israël ne parviendrait jamais à s'intégrer à la région... Il n'était donc ni réaliste ni nécessaire que le pape abandonne l'idée du *corpus separatum* pour Jérusalem et reconnaisse Israël. Les deux émissaires, porteurs du dossier de la reconnaissance de l'État d'Israël, qui avaient été dépêchés au Vatican au lendemain de la création de l'État, le 5 mai 1948, s'étaient heurtés à des portes closes. Des dizaines d'années d'existence supplémentaires furent nécessaires avant d'obtenir cette reconnaissance vaticane, consécutive aux premiers accords signés entre l'État d'Israël et l'Autorité palestinienne en décembre 1993.

L'action de l'Amitié judéo-chrétienne – fondée avec Jules Isaac et le P. Michel Riquet – avait pu faire céder le pape sur des points de détail, comme la suppression de la mention de la « perfidie juive » ou le rétablissement de l'agenouillement pendant la prière de Pâques, mais, pour le reste, Pie XII demeurait intraitable ou, plus exactement, il continuait d'ignorer les perspectives nouvelles dans lesquelles Israël se trouvait au lendemain de la Shoa.

Le cardinal Tardini, sans l'appui duquel rien d'important ne se faisait à Rome, m'obtint une audience avec le pape Pie XII le 2 juillet 1956. Je parlai au saint-père des réalités de la persécution qui fit tant de martyrs et de la triple résurrection de la terre, du peuple et de la langue d'Israël. Je lui fis part des efforts que nous faisions au sein des Amitiés judéo-chrétiennes afin de resserrer les liens entre chrétiens et juifs et que cet effort menait à la reconnaissance réciproque de Rome et de Jérusalem. J'espérais trouver les mots qui lui ouvriraient le cœur.

Il me remercia de mes efforts, me dit que c'était de grand cœur qu'il avait accordé son appui aux juifs persécutés pendant la guerre. Il me parla de sa peur du communisme et de tout ce qui était antireligieux, bénit les ouvriers du rapprochement judéo-chrétien et accorda par mon entremise sa bénédiction toute particulière à Israël. Bien que ses réponses aient fait écho à mes paroles, qu'il répétait parfois mot à mot, je le sentais absent et étranger aux réalités dont j'étais venu l'entretenir.

Son successeur, Jean XXIII, fut à l'inverse un véritable allié de ce rapprochement. C'est grâce au concile Vatican II, qu'il inaugura avant de mourir, que de véritables progrès virent le jour. Il serait long de détailler ici, comme je l'ai fait ailleurs, les péripéties qui conduisirent à l'élaboration du texte final ; mais celui-ci était de nature à normaliser et approfondir les relations entre Israël et le Vatican. La déclaration conciliaire *Nostra aetate* fut la charte de ce véritable *risorgimento*.

Jean-Paul II a enfin courageusement ouvert la voie d'une pleine et entière réconciliation entre Rome et Jérusalem. Sa réflexion salutaire qui se nourrissait de l'essence même de l'Être suprême cherchait les voies les plus efficaces, susceptibles de donner corps aux Dix Paroles (les Dix Commandements) dans nos vies, au-delà de toutes nos divisions. La réflexion de Jean-Paul II nous incite tous à un rassemblement universel des hommes et des femmes décidés à donner corps et vie à l'utopie de l'homme nouveau et de l'âge neuf annoncés de toute éternité. Il l'exprima ainsi dans sa prière auprès du mur des Lamentations à Jérusalem.

Les Églises orientales, aux côtés desquelles nous vivons quotidiennement à Jérusalem, ont, quant à elles, continué à évoluer à leur propre allure vers le même but : celui d'une reconnaissance mutuelle de nos racines et de nos finalités. Le fond de leur attitude a été le même que celui adopté par les catholiques, doublé du fait qu'elles ont longtemps été contrôlées par des autorités plus politiques que religieuses, souvent alignées sur les positions du Kremlin. Après la naissance de l'État d'Israël qu'ils favorisèrent, les Russes, pour les raisons géopolitiques de la guerre froide, lui tournèrent le dos jusqu'à la chute du communisme. D'autre part, en raison de leurs origines orientales, ces Églises ont été parfois conduites à s'aligner sur les positions d'intransigeance des États arabes à l'égard d'Israël.

On ne peut leur faire grief des persécutions perpétrées à l'encontre des juifs par la chrétienté occidentale. Elles y sont étrangères, elles qui ont eu aussi leur lot de problèmes avec les Occidentaux. Si l'enseignement des Églises orientales était porteur de la même hostilité à l'égard des juifs, celui-ci n'aboutit jamais aux massacres organisés par les nazis. Les pogroms russes ou polonais furent cependant des persécutions monstrueuses et sanguinaires. Mais il n'est pas possible de parler de réelle fraternité dans une tiédeur qui est à bien des égards regrettable. Les retrouvailles en cette terre du judaïsme, du christianisme et de l'islam en leur Orient originel sont un devoir et doivent se proposer pour même but la réconciliation des peuples. Nous sommes tous créés à l'image d'un même Créateur et issus d'une même histoire.

La reconnaissance judéo-chrétienne, clairement exprimée par Jean-Paul II, est exemplaire pour engager les nations arabes et la nation juive à se reconnaître aussi pour frères unis dans l'amour d'un même Père. Retarder encore les décisions qui devront inévitablement intervenir un jour ne fait que rendre plus difficile leur application.

Unis au même Dieu nous devrions parler le même langage : celui de l'amour réciproque dans l'Alliance. Dans cette humilité, reconsidérons les griefs que nous avons les uns contre les autres, pour mieux nous en débarrasser une fois pour toutes. Seul compte notre âtre commun : le feu de l'Alliance.

4

Traduttore tradittore

La principale difficulté pour l'avenir de l'humanité est de trouver la langue de l'unité. Nous sommes tellement prisonniers de nos langues et de nos théologies qu'il nous faudra du temps pour redécouvrir, selon le vœu de Confucius, *le sens des mots*, accéder à leur essence. La mystique donne le sens caché de toute chose et ce que nous entendons a forcément un sens caché. Les réalités sont voilées, piégées, par des mots dont la signification a été travesti par ce que l'homme a pu projeter en eux de ses erreurs. Des mots sont devenus « lourds de sens » et leur simple évocation charrie parfois des spectres centenaires qui coupent court à tout débat sur leur sens. Les mots sont les véhicules de nos haines, de nos passions, et nous n'y portons généralement pas assez attention.

Nous ne pouvons passer outre la réalité des mots. Le génie de la Bible révèle dès les premiers chapitres que le monde a été créé par la parole. La Genèse commence ainsi : *Bereshit bara'*

Elohîms 'et ha-shamaïm we'-et ha'arets, « Entête Elohîms créait les ciels et la terre ». La Bible ne parle pas d'un « commencement » mais d'« Entête », *bereshit*. Dès qu'un commencement est assigné à l'univers, un mythe est créé. Et l'essence de la Bible est de sortir du mythe. Nous ne savons rien, sinon que cet *Entête* réside dans nos têtes. Toute réalité naît d'abord dans notre cerveau.

Des traductions de la Bible

Quand j'ai publié la première version de ma traduction de la Bible [1], j'avais pris le parti de ne l'accompagner d'aucune note explicative de mes choix. Mon pari était de faire retour aux sources hébraïques, conscient du bouleversement que cela provoquerait dans nos habitudes de lecture d'un texte, hellénisé et latinisé depuis des siècles. Le dieu du Sinaï, appelé de centaines de noms différents dans les diverses cultures, devait faire retour à son Sinaï originel, et délaissant ses exils sur l'Olympe ou l'Aventin.

Ma traduction du Livre n'est que le maillon d'une chaîne qui remonte aux Septante. Ni rupture ni anticipation, ma lecture s'inscrit dans le temps présent qu'il nous est donné de vivre, celui de la mondialisation et de l'ouverture sur l'universalité de nos cultures.

Cyril Aslanov résume mon intention dans son ouvrage *Pour comprendre la Bible* [2] : « [...] La traduction des trois livres saints est non seulement une remise en question dog-

1. *La Bible*, Desclée de Brouwer, 26 vol., 1974-1989.
2. Cyril Aslanov, *Pour comprendre la Bible, la leçon d'André Chouraqui*, Éditions du Rocher, Paris, 1999, p. 164.

matique ou théologique de ces textes fondateurs, mais peut-être et avant tout un réajustement gouverné par des motivations esthétiques. »

La mise en lumière de la poésie originelle des Textes est essentielle pour qui veut saisir la transcendance au travers des mots. La compréhension des sources doit nous permettre d'éclairer notre quotidien et par là même de les réactualiser.

Un message universalisé mais déformé

La difficile mondialisation que nous vivons de nos jours a commencé à Alexandrie, par la traduction de la Bible hébraïque en grec par les Septante. Au IIIe siècle av. J. C., en Égypte, à Alexandrie, Ptolémée accéda au désir des juifs, qui ne maîtrisaient plus suffisamment bien l'hébreu, de mieux connaître leur Tora, et d'en avoir par conséquent une traduction qui rende leurs devoirs intelligibles à tous. Ce faisant, le roi assurait du même coup un meilleur contrôle de sa population.

Chacun des soixante-douze traducteurs, les Septante, tous des rabbins, fut isolé dans une cellule. La légende raconte que lorsqu'ils en sortirent et rendirent leurs travaux, les soixante-douze exemplaires de leurs traductions étaient parfaitement identiques : c'était là une preuve que le Livre et sa traduction étaient révélés.

Cette traduction, « la Septante », était capitale dans l'histoire de l'humanité : c'était la première œuvre littéraire traduite d'une langue dans une autre, d'hébreu en grec. Des édits d'empereurs ou de rois avaient bien été traduits du grec à l'hébreu ou de l'hébreu au grec, mais il n'existait encore aucune traduction d'un grand chef-d'œuvre littéraire. Les Septante ont ainsi traduit la Bible en grec alors que personne n'avait l'expérience de l'art de traduire un texte, une pensée, une culture. Sans précédent, sans dictionnaires ni méthodes de traduction connues, les Septante durent tout inventer pour traduire la Bible. Faire passer la même idée d'un milieu culturel à un autre est un art difficile, voire impossible : cette traduction est d'autant plus extraordinaire qu'elle a été faite sans les instruments à la disposition de tout traducteur moderne. Du reste, nous sommes de nos jours dans les mêmes incertitudes face au mystère de traduire. La traduction des Septante a pris plusieurs siècles à se parachever. Les premiers textes traduits ont été ceux du Pentateuque, au IIIe siècle av. J. C.. Les derniers datent du Ier siècle ap. J. C. Quatre cents ans de travail afin de revivifier en grec le Message universel de la Bible et de le transmettre, hors des frontières hébraïques, à l'univers entier. Le grec *katholikos* traduit les termes « général, universel ». Clément d'Alexandrie parlait à son époque d'une « église universelle », *katholikê ekklêsia,* dont la Bible des Septante devint le livre saint.

Si le point de départ du Livre était l'hébreu, celui d'arrivée était le grec. Et après le grec, le latin. La Vulgate de saint Jérôme ouvrait le message au plus grand nombre. « Vulgate » dérive du latin *vulgatus*, « répandu », « accessible au public », du verbe *vulgare* « répandre dans le public ». Jérôme, rompant avec la tradition de ses prédécesseurs, se refusa à traduire en latin les écrits grecs de la Septante ; au contraire, il recourut aux textes hébreux pour livrer une nouvelle traduction en latin, renouvelée à partir d'anciennes traductions latines (*Vetera latina*) et débarrassée du filtre grec des premiers traducteurs. La plupart des traductions en français, du moins jusqu'au XIXe siècle, sont issues de ce cheminement.

Après le latin vinrent les deux mille six cents langues dans lesquelles la Bible est aujourd'hui traduite. Sous l'impulsion des Sociétés bibliques, ce travail continue. Le linguiste Claude Hagège estime que les langues du monde s'élèvent à cinq mille. Tous les ans la Bible est traduite, soit partiellement soit complètement, dans de nouvelles langues. Le travail des traducteurs et le rayonnement du Message touchent donc l'humanité presque tout entière dans la quasi-totalité de ses langues et de ses idiomes.

Ainsi, des générations entières de traducteurs se sont mesurés aux textes, chacun selon son époque, sa méthode, sa foi… Ulfila, apôtre des Goths au IVe siècle de notre ère, Constantin le Philosophe, plus connu sous son nom ecclésiastique de Cyrille, Martin Luther, et nombre de nos contemporains…

L'adage dit « *Traduttore, traditore* », « le traducteur trahit ». Effectivement, aucune traduction ne saurait être parfaitement fidèle. Les Grecs, confrontés au *Nom-sans-nom* du Dieu d'Israël – le tétragramme I$\overset{\text{Adonaï}}{\text{HV}}$H, יהוה dans son écriture hébraïque, ne se prononçant pas –, l'ont traduit, on l'a vu, par *Theos*, du nom grec des dieux de l'Olympe. Sans le recours à cet artifice la Bible n'aurait pas eu le rayonnement en milieu grec qu'elle a eu. En trahissant l'original et en traduisant par *Theos*, le Dieu du Sinaï changeant de domicile devenait l'un de ces dieux qui habitaient l'Olympe. Les traducteurs ont opéré une déportation du dieu solitaire du Sinaï vers l'Olympe. C'est ainsi que le Dieu d'Israël et la Bible ont été hellénisés. Sans cette audace incroyable, la Bible serait restée l'apanage exclusif des Hébreux : le livre d'un petit peuple confiné aux frontières de l'Asie.

Le Coran détourné

Le Coran, pas plus que la Bible, n'échappe à la prise de possession qu'en a faite l'Occident par le biais de traductions inévitablement déformantes. Mais celles de la Bible étaient réalisées dans un esprit positif, voire apologétique, pour convaincre le lecteur de ce que les prophètes, et plus encore les apôtres, révélaient au monde la parole du Dieu créateur du ciel et de la terre. Pour le Coran, c'est l'inverse : ses premières traductions sont effectuées par des non-musulmans dans un esprit de dénigrement ouvertement proclamé. Il s'agissait de prouver, texte en main, que « Mahomet » était un imposteur et le Coran une imposture, ou une « coranerie », selon le mot d'un de ses traducteurs.

Robert de Kenton, un Anglais archiprêtre de Pampelune (alias Robertus Retenensis ou Robert de Rétines), s'était vu confier par Pierre le Vénérable la mission de traduire le Coran en latin. L'abbé de Cluny avait été fasciné, lors d'un voyage à Tolède, par la splendeur et la puissance de l'islam, ce rival de la chrétienté. Nous étions alors au XIIe siècle, cinq cents ans après la parution d'*Al Qur'ân*, « Alcoran » ainsi que le découvrait l'Occident.

Robert de Kenton achève la première version latine du Coran, faite en Occident, en 1143. Document polémique s'il en fut : jamais l'axiome latin cité plus haut ne fut plus exact. Des sonorités du Coran, de ses rythmes lancinants, de la splendeur poétique de l'original, il ne restait à peu près rien. Le but de cette traduction étant de se servir de ce texte en tant qu'arme de guerre, celle qui dresserait la chrétienté contre l'islam. N. Daniel, dans son livre *L'islam et l'Occident, la fabrication d'une image* (Édimbourg, 1960), le souligne : Robert de Kenton s'ingénie « à aggraver un texte inoffensif pour lui donner une pointe détestable ou licencieuse, ou à préférer une interprétation improbable, mais désagréable, à une autre, vraisemblable mais décente ».

Pourtant cette traduction en latin joua pour le Coran le rôle de la Vulgate pour la Bible : elle servit pendant des siècles de matrice à toutes les autres interprétations en langues européennes. La version de Kenton est paraphrasée en italien par André Arrivabene, en 1547, qui elle-même est traduite en allemand par Salomon Schweigger, puis, anonymement, en hollandais en 1641.

Comment s'étonner que Régis Blachère explique dans la dernière page de son introduction au Coran (1977) le « désarroi du non-arabisant devant une traduction du Coran » ? En cela aussi, le Coran subit le même sort que la Bible : ses traductions modernes (celles de Savary [1782-1783], de Kasimirski [1840], de E. Montet [1929], de R. Blachère [1952], de Denise Masson [1967], ou même de Jean Grosjean [1979]) sont faites dans un tout autre esprit que celui qui animait jadis Robert de Kenton, mais l'empreinte des anciennes traductions se décèle au premier regard dans les interprétations même les plus récentes, comme c'était le cas pour la Bible : les traductions étaient faites à coups de dictionnaires, et les dictionnaires sont établis sur la base des traductions existantes. De telle sorte que Blachère avait bien raison d'écrire que, malgré les progrès de trois siècles d'orientalisme, « chaque traducteur donne l'impression de se borner à retoucher, améliorer, compléter dans le détail le travail de ses prédécesseurs français… sans même faire état des contributions fournies par la philologie étrangère ».

Cela vaut aussi bien pour les traductions du Coran publiées par des musulmans (celles de Laïmèche et Bendaoud[1], de Les-

1. Oran, sans date.

leet Tidjani [1936] ou de H. Boubakeur[1]), qui remplacent l'arrière-pensée critique par un esprit ouvertement apologétique, sans pourtant se libérer du vocabulaire ni des structures de la phrase qui effacent ou mutilent le substrat sémitique, dont ils tuent, souvent, l'incomparable poésie. Les rabbins, qui, au siècle dernier ou de nos jours dans d'autres langues, s'étaient aventurés à traduire la Bible, s'étaient heurtés, sans la résoudre, à cette même difficulté : se libérer d'habitudes millénaires et du poids écrasant de commentaires qui imposent au texte un sens acquis qu'il n'avait pas forcément à l'époque où il fut écrit.

Le fait que l'arabe du VIe siècle soit beaucoup plus proche de l'hébreu que l'arabe contemporain me fut précieux pour comprendre et rendre la poésie du texte. Dans son ouvrage *Pour comprendre la Bible*, Cyril Aslanov relève cette proximité : « Non seulement l'hébreu et l'arabe appartiennent à la même famille de langues, mais en plus les contacts historiques entre Juifs et Arabes remontent à l'Antiquité la plus lointaine : dès le IIe siècle avant l'ère courante, Judéens de Jérusalem et Nabatéens de Pétra entretenaient des relations étroites. Plus tard, l'Arabie d'avant l'islam fut marquée par la présence de tribus juives qui exercèrent un impact décisif sur la prédication de Muhammad. Il semble même que le Prophète ait eu des ascendances juives médinoises. Enfin la conquête arabe aboutit à créer une communauté de destin et de culture entre Arabes musulmans et Juifs arabophones, de Bagdad à Cordoue et à Fès. Encore n'avons-nous mentionné ici que les facteurs historiques. Si l'on considère les récits mythiques de la Bible et du Coran, la parenté entre Israël et Ismaël remonte à un passé encore plus immémorial. »

---

1. Fayard, 2 vol., 1972.

Malgré les reproches de la sourate 26 à l'égard des poètes – « Et les poètes ! Les errants les suivent » (verset 224) –, le Coran est bel et bien une œuvre d'une poésie inimitable. Cyril Aslanov ne s'y trompe pas : « [...] Le Coran a été marqué par cette réprobation de la poésie en tant que telle au nom d'une conception qui prétendait attribuer au Livre un statut inclassable et irréductible à la poésie de l'Arabie païenne. [...] Mais une telle conception passe sous silence que l'arabe dans lequel est écrit le Coran est largement tributaire de la langue poétique qui se développa avant l'islam [1]. »

Les « métraductions » ont participé aux fantasmes collectifs propres à la diabolisation de la religion d'autrui. Ceux-ci sont en outre entretenus par quelques extrémistes ayant une lecture sélective de leurs propres textes. Lecture ne servant bien sûr que les intérêts ténébreux de revendications politiques que n'éclaire aucun passage du Livre.

Le sens du Coran

Al Qur'ân est l'Appel arabique lancé à La Mecque, au début du VIIe siècle, par un Quraïshite, Muhammad. Celui-ci s'est élevé du milieu des siens contre le polythéisme régnant au sein de ce peuple alors en proie à de profondes mutations sociales, économiques, culturelles et religieuses. Muhammad atteste, à La Mecque, puis à Médine et enfin dans toute la péninsule arabique qu'« Allah est Allah, l'unique créateur de tout, sans autre Ilah que Lui » (S. 40,62).

Ce faisant, le prophète arabe révèle à son peuple que cet antique Message, celui de Moïse et des prophètes hébreux, est

1. *Op. cit.*, p. 116.

inscrit de toute éternité dans la Mémoire d'Allah-Eloha et doit être au fondement de la nouvelle société arabe en voie d'émergence, dont le Nabi d'Allah est le législateur inspiré. Il révèle ainsi à son peuple, dans sa langue, que la Tora et l'Évangile, confirmés et authentifiés par le Coran dont ils précèdent la proclamation, sont une guidance et une lumière pour tous les hommes. Ce message est bien évidemment familier aux oreilles des communautés juives et chrétiennes présentes en Arabie depuis des siècles, porteuses des Écrits antérieurs, la Tora et l'Évangile. Cette réalité parcourt le Coran à longueur de sourates qui font écho au dialogue, souvent âpre, entre des communautés – parfois divisées à l'intérieur d'elles-mêmes – et le nouveau prophète survenu en cette terre arabique ensemencée par les multiples courants d'influence qui la traversent alors, notamment à la faveur de l'incessant commerce caravanier qui sillonne la « Route des aromates », de part en part de l'Arabie. Allah, par l'Appel arabique, *Al Qur'ân,* rappelle le Message biblique des prophètes antérieurs, enjoignant à son Nabi arabe de dire : « Je n'innove rien parmi les envoyés ! Je ne sais pas ce qu'il sera fait de moi ni de vous. Je ne suis que ce qui m'est révélé, je ne suis qu'un alerteur manifeste » (S. 46,9).

Le Coran appelle tous les hommes à la pacification, à l'*islam*, mot dont la racine sémitique *slm*, connote la paix, *salâm*. La source de toute paix, et de toute pacification, *islam*, est en l'Unique, Allah, Eloha en hébreu. En Lui doit se réaliser l'unité fraternelle des hommes, dans le respect de leur diversité, et sans contrainte en matière religieuse de jugement humain.

Tel est le message du Coran qui porte aussi une égale croyance au jour du Relèvement, le Jugement dernier, où seront jugés tous ceux, parmi les fils d'Abraham, qui n'ont pas adhéré à l'essence du Message. *Al Qur'ân* est l'ultime appel nous appelant à nous élever vers Allah dans la fidélité au pacte reçu par chacune des matries dans ses Écrits respectifs.

Le Coran passe trop souvent dans l'imaginaire populaire occidental comme véhiculant les appels aux pires atrocités et à l'abolition de toute autre religion que l'islam. Les versets incriminés sont trop rarement lus et étudiés par ceux chez qui ils déclenchent des réactions épidermiques de peur et de rejet.

Isolés de leurs contextes, certains passages peuvent effrayer. Les commentaires situent chronologiquement la sourate 5, *La Table*, au vendredi 26 février 632, lors du pèlerinage des *Adieux.* La Table en question, miraculeuse, est celle que les Envoyés demandent à Jésus de faire descendre du ciel (S. 4,112). Cette sourate est parfois intitulée d'après son premier verset : *les Obligations.*

On peut y lire :

5,63 : Pourquoi les rabbis et les confrères
ne dénoncent-ils pas leur iniquité,
leur vénalité, leur corruption,
l'horreur de ce qu'ils fabriquent ?

5,64 : Les Judéens disent : « La main d'Allah est nouée. »
Nouées soient les leurs,
et honnis soient-ils pour ce qu'ils disent.
Non, ses mains sont larges, toutes les deux.
Il favorise ce qu'il décide.
Ce qui est descendu vers toi de ton Rabb
a aggravé chez la plupart d'entre eux l'oppression, l'effaçage.
Nous jetons parmi eux l'animosité et la haine
jusqu'au jour du Relèvement.
Chaque fois qu'ils allument un feu pour la guerre,
Allah l'éteint. Ils précipitent sur terre la corruption,
mais Allah n'aime pas les corrupteurs.

5,51 : Ohé, ceux qui adhèrent,
ne prenez pas les Judéens ni les Nazaréens pour protecteurs.

Les uns sont les protecteurs des autres.
Qui de vous les prend pour protecteurs
devient des leurs.
Voici, Allah ne guide pas le peuple des fraudeurs.

Il faut resituer cette sourate, l'une des dernières chronologiquement, à l'époque où Muhammad, au soir de sa vie, est le témoin de nombreuses divisions qui déchirent la société arabe, y compris l'Umma islamique, en proie déjà à des conflits internes et confrontée à des schismes naissants.

La tentation est grande de s'arrêter là et de justifier sa propre haine. Après de tels mots, chaque musulman serait un ennemi prêt à vous agresser mais il faut replacer chaque parole dans son contexte historique. Quand le prophète Muhammad parle de « protecteurs », il faut savoir qu'à l'époque le système tribal de protection est très complexe et que Muhammad constitue une communauté nouvelle qui entend rompre ses attaches avec le milieu juif et chrétien dont elle émane. La même méthode permet de situer maints textes de la Bible hébraïque ou du Coran dans leur vrai sens.

Tout prophète vient remettre sur le droit chemin les égarés. Quand Muhammad prêche, c'est contre des juifs et des chrétiens rétifs à l'islamisation de leurs communautés, les autres étant les *effaceurs*, les tribus idolâtres de la péninsule arabique.

5,77 : Dis : « Ô Tentes de l'Écrit,
Ne divaguez pas en votre jugement :
La Vérité seule ! »
Ne suivez pas les passions du peuple.
Fourvoyés jadis,
ils ont fait se fourvoyer un grand nombre,
fourvoyés, loin de la rectitude du sentier.

5,78 : Ceux qui effacent Allah parmi les Fils d'Isrâ'îl
ont été maudits par la langue de Dâwûd

et celle de 'Issa, fils de Mariyam,
pour s'être rebellés en transgresseurs.

5,79 : Ils ne s'interdisaient pas
les extravagances qu'ils faisaient,
le mal qu'ils commettaient.

5, 80 : Tu vois beaucoup d'entre eux
s'allier avec ceux qui effacent Allah.
Ce qu'ils se préparent est si mauvais
qu'Allah se courrouce contre eux.
À eux, le supplice, en permanence.

5,81 : S'ils étaient à adhérer à Allah
et à ce qu'il a fait descendre,
ils ne les prendraient pas pour des protecteurs.
Mais la plupart sont des dévoyés.

Le Prophète précise même dans cette Sourate :

5,48 : Nous avons fait descendre sur toi l'Écrit avec la Vérité,
pour confirmer ce qui était entre ses mains de l'Écrit,
en l'authentifiant.
Juge-les d'après ce qu'Allah a fait descendre.
Ne suis pas leurs passions
mais ce qui est venu à toi de la vérité.
Pour vous tous, nous avons défini une voie, une coutume.
Si Allah l'avait décidé,
Il aurait fait de vous un peuple uni,
mais Il vous éprouve avec ce qu'Il vous donne.
Rivalisez au mieux.
Vous reviendrez ensemble vers Allah.
Il vous inspirera sur ce que vous êtes à réfuter.

Ainsi que :

5,68 : Dis : « Ô Tentes de l'Écrit,
vous ne reposez sur rien
tant que vous ne réalisez pas la Tora, l'Évangile,
ni ce qui est descendu de votre Rabb.

Au surplus, pour la plupart d'entre eux,
ce qui t'est descendu de ton Rabb
est rébellion, effaçage d'Allah.
Ne te désole pas pour le peuple des effaceurs. »

5,69 : Voici, ceux qui adhèrent, ceux qui judaïsent,
les Sabéens et les Nazaréens,
ceux qui adhèrent à Allah, au jour ultime,
et font probité, sans peur, ils ne s'affligeront pas.

Explicitement, le Coran reconnaît son héritage judaïque et chrétien. Malheureusement, ces paroles sont passées sous silence par tous *les complaisants de la division.* Malgré les propos tenus, en diverses occasions, dans le Coran à l'égard d'Israël, il se trouve, dans tout le monde arabe, des imams qui appellent à la guerre contre ce frère du Livre qu'est le peuple hébreu. Leur lecture est d'autant plus inique qu'elle transforme le *djihad* en « guerre sainte ». Le *djihad* est l'« effort » que doit faire tout croyant afin de se conformer à la Parole reçue d'en haut : c'est l'effort de la conversion permanente de son cœur à Allah, à l'Elohîms qui crée tout être vivant.

45,16 : Nous avons donné aux fils d'Isrâ'îl
L'Écrit, la Sagesse et l'Inspiration,
nous les avons pourvus de biens,
nous les avons favorisés plus que les univers.

10,93 : Ainsi, nous avons établi
les Fils d'Isrâ'îl en juste établissement.
Nous les avons salariés du meilleur.
Ils ne se sont opposés
qu'après que la science leur fut parvenue.
Voici, ton Rabb tranchera entre eux,
le jour du Relèvement,
pour ce à quoi ils s'opposent.

17,104 : Nous avons dit ensuite, aux Fils d'Isrâ'îl :
« Habitez cette terre !

Quand l'Autre promesse se réalisera,
nous vous ferons revenir en foules. »

Le Coran le prouve : les luttes actuelles sont injustifiées et injustifiables par les Écrits. D'autres traductions que les miennes (Denise Masson ou Jacques Berque), si elles divergent dans la forme, n'en font pas moins apparaître l'exact sens identique.

Le traducteur moderne doit faire un effort sans précédent pour mettre fin à la guerre des cultures, des théologies et des idéologies. Il doit s'efforcer de coller autant que faire se peut au sens premier du texte qu'il interprète et, à cette fin, analyser chaque racine à la lumière de nos connaissances actuelles en linguistique et en philologie comparée, en sémantique analytique, structurale et générative, synchronique ou diachronique.

Il est désormais impossible d'enfermer ces grands textes dans des moules dont les empreintes éculées par trop d'emplois séculaires n'impressionnent plus personne. Tel traducteur de la Bible proclamait à l'encan : « Ézéchiel à la poubelle… », et tels autres qui sévissent sur le Coran lui dénient toute originalité, toute valeur. Si la grisaille de tant de traductions permet de tels jugements, la splendeur des originaux, en hébreu, en araméen, en arabe, ou en grec, tourne en dérision leurs auteurs.

Il est nécessaire de « décoloniser » les traductions de la Bible et du Coran, afin de faire de ces livres de vrais ponts entre les peuples et les cultures, plutôt que des armes employées pour la diffusion d'orthodoxies de toute nature. Ces textes ont inspiré la naissance de trois grandes religions, de multiples confessions et de sectes sans nombre, mais ils n'appartiennent à personne. « Pourquoi la Tora a-t-elle été révélée dans un désert, le Sinaï ? » interrogeaient les rabbis. Et leur réponse était claire : « Afin que personne ne puisse dire : “Elle m’appartient puisqu’elle a été révélée chez moi.” »

Le message n’appartient à personne, mais il est des malintentionnés qui n’hésitent pas à le travestir. Le rapt de l’islam par une caste de vautours du pouvoir, les dictateurs de volonté divine, est une insulte supplémentaire crachée à Sa face. N’est-il point un témoin de mensonge celui qui rabaisse Allah au rang d’une idole au nom de laquelle il fait la guerre à ses propres frères, fussent-ils arabes ? N’est-il point un témoin de mensonge celui qui assassine son peuple en se prétendant le protecteur des Lois ? Certains hommes s’ingénient à faire de l’islam une religion moyenâgeuse, à imposer la chape de l’obscurantisme sur ce qui ne devrait être et n’est que Lumière. J’incrimine ces hommes, chefs d’État ou imams à leur solde, qui déforment ce qui est écrit et s’asservissent au royaume de l’ignorance et du crime.

La traduction du Coran que j’ai publiée avec le concours d’éminents coranistes musulmans a d’emblée suscité un intérêt général, même si rares furent les voix arabes prêtes à saluer ce fait inattendu. Qu’un juif ose se pencher sur le Coran ou même qu’il le touche de sa main peut être considéré comme un sacrilège par celui qui confond les notions distinctes de sacralité et sacralisation. Il m’est arrivé personnellement de me voir refuser d’en prendre un exemplaire en main sous le prétexte qu’étant d’attribution divine le livre du Coran ne saurait être touché par un non-musulman. Cela n’a plus de sens dans notre monde. Lorsqu’en 1981 je suis retourné dans mon village natal algérien d’Aïn-Temouchent, j’avais tenu à montrer à mon fils Emmanuel, venu spécialement d’Israël, la synagogue que mon père avait construite, où mes sœurs s’étaient mariées, où j’avais fait ma *bar mitsva*. Elle était devenue une mosquée ! À mon grand étonnement, l'imam m'en refusa l'accès. Voyant ma surprise et ma déception, conciliant, il me rétorqua qu'une fois soumis à l'islam je pourrais alors entrer tout naturellement en ce lieu sacré. J'étais abasourdi que des hommes puissent encore vivre si loin dans le passé et générer un conflit qui n'existe que dans leurs fantasmes. L'islam doit se réveiller d'une telle régression et ses fidèles vomir celui, musulman ou non, qui tourne le Coran en paroles d'ombres, de répression et de malheur.

Il n'est pas une ligne, un verset du Coran qui ne puisse pardonner, un regard qui ne soit pas d'amour sur la plus humble créature de notre univers. Juifs et chrétiens sont chéris à l'égal de parents. À la Vierge Marie est offerte une sourate de reconnaissance éternelle, elle, la sainte qui enfanta le prophète Jésus Christ, fils aîné d'Allah.

Un peu de lucidité...

Si nous faisons preuve d'amour et de lucidité, il est évident que les divisions entre les religions, les schismes en leur sein, ne sont pas des phénomènes irréversibles. Ils ont des explications culturelles et s'inscrivent dans le cours de l'histoire. Les hommes de bonne volonté devraient considérer ces diversités comme des richesses plutôt que comme des sources de conflit. Ce travail de mémoire et de conscience devrait être un devoir pour tout croyant. Tout schisme viole l'unité originelle née de l'acte créateur originel. Nous vivons souvent de nos divergences et sans en faire l'historique, constatons que les murs de leurs prisons ne sont pas infranchissables.

La Révolution française a été l'occasion pour le judaïsme de s'émanciper mais aussi de se morceler. En affirmant les droits du citoyen, la Révolution a libéré les juifs et ouvert les portes du ghetto pour donner naissance à trois grands courants : le judaïsme orthodoxe, le judaïsme conservateur, le judaïsme libéral. Les orthodoxes ont une lecture propre du sens de l'histoire, celle de la culture rabbinique de certains ghettos ; les conservateurs sont plus proches des souvenirs, du passé, qu'ils adaptent aux réalités nouvelles ; les libéraux interprètent leur religion en l'adaptant à la modernité.

De nos jours, à la suite du retour en Israël, nous assistons à l'émergence d'un courant laïc. Le juif se sent dégagé des obligations du ghetto et n'entend plus se conformer à la parole des rabbins qui ont dirigé sa vie spirituelle pendant vingt siècles d'exil, sauvant avec son existence sa langue et sa culture.

L'islam doit sa naissance à la révélation faite à Muhammad de porter la parole du Livre aux tribus de la péninsule arabique, déjà adoptée en hébreu par les Hébreux, en grec par les chrétiens. L'islam n'est pas une nouvelle religion à proprement parler, mais une proclamation en « arabe fluide » de la Révélation du Sinaï pour son rayonnement dans ces régions désertiques. La première de ses scissions entre sunnisme et chiisme est affaire de succession et de pouvoir, bien plus que de nécessité théologique. La division s'est instillée au cœur de chacune de nos familles religieuses et l'islam n'a malheureusement pas fait exception à cette règle. Lucide, Muhammad avait lui-même annoncé la division en plus de soixante-dix sectes de l'Umma islamique.

Je respecte toutes ces théologies mais non l'infraction à l'ordre de ne pas tuer, de ne pas voler, de ne pas mentir. Les hommes sont les seuls responsables des conflits entre les peuples. En quête perpétuelle de pouvoir et d'honneurs, ils s'avilissent, de siècle en siècle, à trahir le Message dont ils ont été gratifiés. La Loi de nature, comme l'a définie Hobbes, les pousse à désirer la possession davantage que le partage de tous biens. Mais il serait exagéré de considérer que cette loi a toujours régenté l'histoire des religions. L'homme est pris dans le tourbillon de cette histoire. Il n'en est bien souvent que le jouet et non l'acteur, esclave des atavismes de ses sociétés et du poids de ses traditions.

Les traditions, bonnes ou mauvaises, sont fondatrices. Elles nous précèdent, nous fondent et nous nous devons de les respecter en tant que telles. Mais elles nous empêchent parfois de nous libérer de carcans d'un autre âge, en désaccord avec le présent historique et culturel. Elles devraient au contraire nous permettre de saisir le temps présent et non nous enfermer dans un passé castrateur. Il est de notre devoir de les réactualiser en permanence, d'en faire nos alliés pour procéder à la sortie de nos « ghettos », cette exigence universelle qui donnera naissance et sens à l'humanité nouvelle.

La conversion des cœurs

L'Alliance dépend de chacun d'entre nous : je n'ai pas besoin de recevoir un baptême chrétien pour agir en frère avec les chrétiens. Je n'ai pas eu besoin de me convertir à l'islam pour avoir proposé ma traduction du Coran. Je n'ai pas besoin d'un quelconque pré-requis rituel. Notre regard doit se porter sur des horizons plus lointains et plus profonds. Abraham, Muhammad ou le Christ n'ont jamais cru nécessaire de dresser des pièges ecclésiastiques, islamiques ou rabbiniques pour reconnaître leurs fidèles.

Aussi bien l'islam que le christianisme ont offert au converti des places de premier choix au paradis. À certaines époques, l'Église alla même jusqu'à payer la conversion. Ma vie durant, des amis ont cherché, pour mon plus grand bien cela s'entend, à me convertir. Qui à l'islam, qui au christianisme, qui au protestantisme. Rien n'y fit. Non que je sois prisonnier de mon ghetto judaïque, mais il est porteur de mes racines, suffisamment profondes pour devenir universelles, nous poussant tous à nous libérer de nos frontières. Savoir qui doit se convertir à quoi est un problème d'un autre temps et je ne souhaite pas m'attarder à cette question horizontale, en vérité caduque à l'heure de la mondialisation. Nous devons tous viser plus loin et plus haut pour incarner l'homme nouveau : il nous attend au-delà de toutes nos frontières et il n'est demandé que de se convertir à la source de notre être, l'Être de notre être. Ma vocation en tant que fils d'Israël est d'aider au dépassement du judaïsme, du christianisme, de l'islam en en faisant des vrais témoins de la révélation dont nous sommes les uns et les autres les enfants.

Lors de mes séjours en Algérie et de mes voyages au Sahara, je rencontrais plus intimement des lettrés musulmans auprès desquels je me préparais sans le pressentir à traduire le Coran. Dans les oasis de Bou Saada, de Ouargla, de Ghardaïa, mon principal objectif était de mieux connaître la vie religieuse de l'islam dont le Coran était médiateur entre l'éternel incréé et l'humanité. Auprès d'éminents et très humbles coranistes, je poursuivais ma laborieuse lecture du Coran, le Cri d'Allah venu des cieux. Un des chefs de l'islam saharien s'était persuadé que, si j'étudiais le Coran, c'était dans le but de me convertir à l'islam. Il était disposé à m'y aider en donnant au jeune homme que j'étais alors sa fille en mariage et pour dot la moitié de sa fortune. J'eus toutes les difficultés à lui faire admettre mon refus de me convertir à l'islam. Je m'en tirai arguant qu'en raison du profond désaccord entre musulmans et chrétiens sur la nature de Dieu, les uns croyant à la transcendance absolue d'Allah, les chrétiens lui attribuant un Fils, Jésus Christ, j'attendais sa résolution avant de choisir l'un ou l'autre camp.

Aujourd'hui, j'espère plutôt que les hommes acceptent leurs diversités infinies et que malgré leurs différences ou plutôt à cause d'elles, ils s'acceptent pour créatures d'un même Créateur dans l'émerveillement de sa Création.

À mes amis qui sont attirés par mes enseignements je conseille de faire ce que moi-même je m'efforce de faire : vivre la vérité des Dix Paroles. Et ne pas ajouter une guerre à la guerre des hommes. Ces Dix Paroles sont destinées à la Création tout entière. Le problème qui nous est posé à tous n'est pas la couleur du drapeau du ghetto dont on se réclame mais d'être en accord avec soi-même et avec les autres. Il n'est nul besoin d'une conversion autre qu'intérieure : reconnaître son Dieu, quel qu'en soit le Nom, et réaliser son idéal qu'il soit juif, chrétien ou musulman ; en un mot, être un homme digne de ce nom. Le Coran ne dit pas autre chose : « Il n'est ordonné que de servir Allah, candides pour Lui : ceux qui, en fervents, élèvent la prière et donnent la dîme, voilà le jugement immuable » (S. 98,5).

Un rabbin de mes amis, Moshé Lévi, illustre bien cette attitude. Il était grand rabbin d'Élisabethville dans l'ex-Congo belge. Un jour, une tribu avoisinante lui fit part de son souhait de convertir ses membres au judaïsme. Moshé Lévi était embarrassé : son devoir de rabbin était de dissuader quiconque voulait se convertir. En premier lieu, il différa sa réponse. Mais la tribu fit son siège et le rabbin fut bien obligé de donner suite à la demande qui lui était faite. Pour apaiser les esprits qui s'échauffaient ; il demanda à ses solliciteurs d'apprendre la Tora. Quand ils revinrent, forts de cet apprentissage, en quête d'une quelconque onction, Moshé Lévi les renvoya à l'étude du Talmud. Des années passèrent ainsi de renvoi en renvoi jusqu'au jour où le rabbin fut acculé à motiver son refus de faire entrer la tribu dans la famille juive. Il expliqua alors qu'il ne voulait pas ajouter à leurs malheurs de « nègres » aux prises avec le colonialisme le poids de l'antisémitisme.

Le judaïsme n'a jamais été missionnaire. L'Église chrétienne s'est très bien acquittée de sa mission de répandre dans le monde entier le message de la Bible. Malgré les périodes troubles de son histoire, il y a, grâce à elle, aujourd'hui plus de deux milliards de chrétiens de par le monde, deux milliards de fidèles du Dieu Un.

Ma femme et moi avons élevé nos enfants dans nos traditions librement vécues sur nos racines ouvertes sur l'univers. Nous avons tenu à ce qu'ils soient libres d'être eux-mêmes. Je me souviens avoir dit à un de mes enfants, la première fois que je l'ai tenu dans mes bras : « Sache-le, tu ne m'appartiens pas : tu t'appartiens à toi-même. » Chacun s'est découvert et a frayé librement sa propre route dans ce microcosme que nous avons choisi pour vivre, Jérusalem ouverte à l'univers entier.

Toute conversion commence par soi-même et nous devons respecter la liberté de chacun face à son mystère. La sacralité du texte rend possible l'entrée dans ce mystère qui nous est commun : la transcendance. Ce lien invisible de toute l'humanité à sa Création enflamme nos cœurs et dessille nos yeux. Chaque religion a sa structure, mais toutes opèrent par la magie du verbe : les langues hébraïques et arabes portent en elles la poésie d'un langage incantatoire et extatique. La puissance du verbe leur est révélée dans un rythme qui, murmuré, transporte les âmes à la rencontre de notre mystère. L'Asie est aussi riche de cette force mystique qui habite le langage, ces sons qui nous relient à la parole créatrice, au Verbe par qui tout commence. Des couvents bouddhistes ou hindous je garde le souvenir des lancinantes prières qui disent l'Être au plus profond des êtres.

D'ici ou d'ailleurs c'est le rythme qui célèbre avec des mots différents la même présence mystique de l'Être Créateur.

Le mystère partagé

Seule la transcendance est fondamentale et nous permet de concevoir l'unité universelle dans la gloire de sa beauté. La Présence se faufile dans les moindres recoins de ce qui est, souris, puce, bourgeon ou rocher. Rien n'échappe à Sa présence parce qu'Il est l'Être de l'être.

Pour nous tous, l'Être est révélé dans le Verbe et la sacralité du texte nous Le donne à découvrir. Ou à entrevoir, car Il n'entend pas se laisser saisir entièrement par notre humanité. J'ai été élevé dans une communauté juive d'Algérie. Les juifs du Maghreb avaient sauvé cette culture en s'en nourrissant parfois même sans la comprendre. Nous récitions trois fois par jour les prières et, mis à part quelques rabbins imprégnés d'une vie de prières et d'études, nous n'y comprenions rien. Quand je me rendis compte de mes ignorances, je ne fus pas vraiment attristé. Ne rien connaître à l'art du pilote ne m'empêchait pas de voler de Jérusalem à Paris. Lui savait. C'est ainsi que les juifs ont traversé l'exil, par la puissance de textes qui, s'ils n'étaient pas toujours compris, n'en gardaient pas moins leur efficacité. Ce sont eux qui nous ont menés de l'Exil au Retour, et, sur le plan mystique, de celui d'homme terrestre à l'état de l'homme extatique. Car nous rencontrions vraiment l'extase dans les prières que nous récitions : l'intériorisation du texte, sa manducation, nous faisaient entrer dans le mystère de l'Être. Enfant, j'avais été profondément marqué par ce processus, et plus âgé j'ai assisté au miracle réalisé par le verbe : ramener le peuple d'Israël à sa terre, après un exil long de deux mille ans.

Cette force du verbe, je l'ai rencontrée dans les autres religions dont j'ai traduit les grands textes. Je reconnaissais en eux le même mystère créateur qui m'habitait.

À quoi bon ajouter à la confusion des hommes ? Souvent ils se confondent dans le viol universel du Message. Nous récitons les leçons entendues au Sinaï, aux Béatitudes, dans les déserts d'Arabie, par nos prophètes, mais nous laissons ces messages à leurs livres et les trahissons dans nos vies. En cela aussi nous sommes tous égaux. Il n'y a pas de mesures pour définir qui de nous est le plus coupable : nous le sommes tous. Lisons les Dix Paroles : au regard de nos insuffisances et de nos trahisons, de quel droit appeler l'Autre à changer sa religion pour la nôtre ?

Accueillons les Dix Paroles, les Neuf Béatitudes ou les quatre Vérités du bouddhisme et alors le voile tombera : l'homme reconnaîtra l'homme. Ce qui importe n'est pas l'étiquette d'une appartenance, mais la réalité du regard et des œuvres. Ce qui nous est demandé est d'être des hommes emplis de respect et de compassion les uns pour les autres. La liberté dont nous sommes porteurs fait de nous des violateurs potentiels de toute parole donnée ou les réalisateurs potentiels de l'Alliance prophétique et messianique de la fin des temps.

5

L'universalité et la modernité des Dix Paroles

Le respect, la compréhension et l'adhésion aux Dix Paroles données par Elohîms à Moïse tracent la voie de notre réconciliation. J'utilise le terme « parole » et non « commandement » car l'hébreu, en disant '*Asseret Hadibrot*, rapporte des *paroles* non les *commandements* d'un dieu courroucé et impératif. Dieu d'amour, Il nous montre la voie afin de nous diriger dans Sa lumière bien plus que de nous asséner un ordre. Il énumère nos peurs et nous invite à ne pas vivre sous leur empire. Qui d'entre nous tiendrait-il à être volé, trompé ou tué ? Il nous a parfaitement compris et bien avant les premiers philosophes. Il nous enseigne que les devoirs de l'un correspondent aux droits de l'autre.

Intrinsèques, congénitales ou fondatrices, nos peurs nous sont d'une fidélité presque malsaine tout au long de notre vie. Dès la naissance l'homme en est bardé et ne cesse de se soumettre à leur diktat. Ce qui est souvent entendu comme un choix conscient n'est dans bien des cas que l'expression concrète de peurs et de manques inconscients. Les peurs peuvent être les moteurs de nombre de nos quêtes : la recherche de l'immortalité par refus de la mort, la quête de l'amour par peur de l'abandon, l'amour de Dieu par crainte de son oubli. Elles nous guident à travers les épreuves de la vie et nous laissent l'illusion d'un choix dont nous ne sommes pas toujours les tenants. La vérité fait peur car elle nous révèle nos mensonges, les illusions et les mythes que nous avons bâtis pour survivre dans la jungle des humains. Consciemment ou inconsciemment l'homme se satisfait de ces demi-vérités et laisse la peur barrer son existence sur l'océan de la vie.

L'homme doit être conscient que tout homme de pouvoir sait comment tirer parti des peurs individuelles ou collectives afin d'asseoir sa domination. Qu'ils assujettissent des foules à leurs pulsions antagonistes – passivité ou agressivité –, les dictateurs de tout genre ne font qu'user à notre insu de nos réactions contre nous-mêmes. Pour quelle raison nous soumettre à une personne si ce n'est la crainte qu'elle provoque en nous, les peurs qu'elle réveille en nous ? La bonté innée qu'elle dégage ? Mais les personnes douées de cette qualité ne réclament la soumission d'aucun être à leur personne. Non, les tyrans savent très bien faire vibrer les cordes de nos peurs pour nous soumettre à leurs sombres desseins.

Nos faiblesses sont nos chaînes et tous les manquements à nos plus simples devoirs, d'aimer et de respecter l'Autre, nous renvoient à nos peurs les mieux dissimulées, les plus ancrées dans notre être même. Elles furent un temps le maillon nécessaire pour tenir éveillé en nous l'instinct de vie, mais elles ont néanmoins imprimé en nous des réflexes qui éveillent nos instincts de destruction.

Les Dix Paroles sont des « recettes » de vie, des préceptes à agir. Elles paraissent simples, mais seuls de saints hommes sont capables de les réaliser. Voilà un autre paradoxe. Il a fallu trois mille ans pour que l'humanité arrive à un point où la plupart des principes du Décalogue sont intégrés par les appareils législatifs et judiciaires, aux niveaux national et international. Mais jamais les hommes n'ont été plus éloignés de leur application. Les progrès de la technologie et la réduction des distances ont décuplé les capacités de nuire que les Dix Paroles s'étaient efforcées de contrôler et de canaliser. Leur universelle présence au niveau idéal et théorique rend paradoxale leur absence dramatique dans la pratique. Ce point essentiel est dénoncé à notre époque de façon flagrante. Tout le problème d'une nouvelle éthique serait de faire coïncider la législation et la pratique, l'intention et l'action, l'adéquation de l'acte à la parole.

La Déclaration universelle des droits de l'homme est un essai pour rapprocher l'intention de l'action. René Cassin, son rédacteur principal, se plaisait à la comparer au Décalogue. Ces textes, séparés par plus de trente-trois siècles, apparaissent tous deux dans l'histoire à la fin d'époques particulièrement troublées : qu'ils soient sortis de l'esclavage égyptien, rescapés des guerres ou des camps de concentration nazis, les hommes ont un irrésistible besoin d'affirmer solennellement leur droit de vivre dans l'unité de la famille humaine. C'est ce besoin qu'exprimait la Déclaration universelle des droits de l'homme. Le Décalogue tirait son autorité de l'Être qui, au sommet du Sinaï, le proclamait. La Déclaration universelle émanait directement de la communauté juridiquement organisée en Nations unies de tous les peuples, et exprimait les aspirations communes à tous les hommes. L'assemblée générale des Nations unies présentait ce texte comme « l'idéal commun à atteindre par tous les peuples et toutes les nations afin que les individus et tous les organes de la société, ayant cette Déclaration constamment à l'esprit, s'efforcent [...] d'en assurer [...] la reconnaissance et l'application universelles ». La Déclaration professait un acte de foi dans les droits fondamentaux de l'homme, radicalement niés pendant les années de guerre.

Pour René Cassin, ce document était un Décalogue laïque et donc recevable par tous les peuples quelle que soit leur foi. Nous lui devons aussi que cette Déclaration, dont il avait une vision prophétique, fut universelle plutôt qu'internationale, l'accent principal étant mis, dans sa rédaction, sur la personne humaine plutôt que sur l'État. Dans son discours devant l'assemblée générale des Nations unies, il annonçait qu'à ses yeux elle se présentait « comme la plus vigoureuse, la plus nécessaire des protestations de l'humanité contre les atrocités et les oppressions dont tant de millions d'êtres humains avaient été victimes à travers les siècles et plus particulièrement pendant les deux dernières guerres mondiales. La plus récente de ces oppressions venait d'être menée, sous le déguisement d'une "croisade des droits de l'homme", par les tenants du fascisme raciste, aussi ennemis de l'homme qu'ils l'étaient des autres nations et de la communauté internationale. »

En ses trente articles, le mot « droit » revient en cinquante-neuf occurrences alors que le mot « devoir » n'apparaît qu'une seule fois – dans l'article 29 qui souligne les devoirs de l'individu envers la communauté. Pourtant, si l'homme accomplissait ses *devoirs* élémentaires, dont les principaux sont précisément contenus dans les Dix Paroles, une déclaration concernant ses droits ne serait pas nécessaire. Ceux-ci en résulteraient naturellement.

Ces Dix Paroles, d'une puissance qui a inspiré les siècles, ont de plus le grand mérite de ne pas se limiter aux trois religions abrahamiques. Les Dix Paroles s'adressent à l'humanité entière.

Elles contiennent le substrat de la condition humaine, c'est-à-dire les conditions de maintien et de respect de toute forme de vie dans la création. La Bible, les Évangiles et le Coran ont nourri mon existence entière. Qui mieux que l'interprète peut-il être conscient de ce que ces textes sont les commentaires des vérités contenues dans le Décalogue, véritable colonne vertébrale de toute société humaine ? Ces dix préceptes de vie renvoient à une Transcendance, quelle que soit la signification que l'on puisse prêter à cette dernière : la divinité plus ou moins personnalisée des hommes de religion, l'Inconnaissable des agnostiques, le Néant ou le Non-Être des athées, sont présents aux sources de toute connaissance. En vertu de leur précision, de leur abstraction et de leur transcendance, les paroles du Décalogue interpellent chacun de nous, quels que soient son peuple, sa religion, sa tradition culturelle et son âge. Car au-delà des détails de leur formulation et des violations dont ils ont été l'objet tout au long des siècles, ils symbolisent la Loi, c'est-à-dire l'essence même de l'humanité. Ces paroles, en effet, différencient l'homme du primate régi par l'instinct.

Aujourd'hui, ces Paroles s'adressent à nous dans un contexte d'enjeu crucial. Elles sont à écouter, à comprendre et à actualiser selon notre entendement moderne et non d'après une logique vieille de cinq mille ans.

Elohîms dit toutes ces paroles, pour dire :
« Moi-même, $\text{I}\overset{\text{Adonaï}}{\text{HV}}\text{H}$*, ton Elohîms qui t'ai fait sortir de la terre de Misraïm, de la maison des serfs [...] »*

Dès les premiers mots la magie opère : le Nom est libérateur. Il est venu pour libérer l'homme de l'esclavage de la terre d'Égypte, *Misraïm* en hébreu. Et ce Nom du libérateur est *anokhi*, « Moi-même ».

Que nous inspire la proclamation de cette unité du Dieu personnel et transcendant, sinon la perspective d'une éthique visant à réconcilier l'homme avec l'humain ? Le passage à l'acte le plus urgent que contient cette parole concerne le respect de l'Être, non seulement de l'être humain, mais de la notion même d'« Être » et de son pouvoir libérateur. Le fait que le tétragramme $\text{I}\overset{\text{Adonaï}}{\text{HV}}\text{H}$ soit formé sur une racine signifiant « être » doit nous inspirer et nous conduire à une conception unitaire multiforme du monde. Si l'on applique à toutes les échelles de l'Être, de la plus infime à la plus sublime, cette morale vivifiante de l'Alliance, à la fois alliance et création, le surcroît d'être, jaillissant par émanation de l'infini, irriguera à nouveau toutes les strates du cosmos.

À la vérité, cette morale préconisant le respect de l'Être au travers de ses manifestations existentielles n'est pas neuve. Mais elle est le fait de philosophes évoluant dans les hautes sphères de la spéculation intellectuelle, celle de penseurs abstraits, coupés de toute vie pratique. L'exemple le plus frappant de cette dichotomie entre une pensée et l'incapacité dramatique à l'appliquer dans le champ de l'éthique nous est donné par le philosophe allemand Martin Heidegger. Toute sa philosophie telle qu'elle s'exprime dans *L'être et le temps* et dans *Chemins qui ne mènent nulle part* est une réflexion sur la différence entre l'être et l'étant. Malheureusement, ce penseur, considéré comme un des plus profonds philosophes de notre siècle, a évacué la dimension humaine et personnelle de l'être. Il résulte de sa pensée le primat du monde sur l'homme, plutôt que l'alliance créatrice entre les deux dimensions. Ce négateur de l'humain était sans doute très à l'aise dans les rangs du parti nazi dont il constitua pour une part l'alibi intellectuel et philosophique. Pourtant, sa philosophie du monde a influencé dans une large mesure l'ontologie sartrienne et l'éthique d'Emmanuel Levinas. Ce dernier a réussi à donner à ce système inhumain le surcroît d'humanité qui lui manquait.

Le spectacle de la Création en chacun de ses êtres nous invite à un chant d'amour infini, pour chaque fleur, chaque oiseau, chaque homme et chaque femme, entourés de leurs enfants, qui se détachent dans la lumière pourpre d'un coucher de soleil ou dans l'éclat argenté d'un clair de lune. Ivresse de reconnaître la splendeur et le pouvoir libérateur de l'Être créateur en toutes ses créatures, dans l'émerveillement de l'infini de ses ciels et de ses atomes.

Dans la Bible, la création des ciels et de la terre a demandé six jours au Créateur, mais elle se poursuit de bien des manières dans l'attente du septième jour. L'humanité, vieille de plusieurs centaines de milliers d'années, n'en est qu'à la genèse de son histoire. À vrai dire, l'homme naît seulement à lui-même et il ne saurait prétendre à sa propre libération qu'en sortant des multiples prisons de son égoïsme congénital. La liberté se trouve dans la synergie et la fécondation de l'Autre. Le monde a changé d'axe et de mesure, s'étant projeté dans l'au-delà qu'il portait en lui et qu'il découvre enfin dans l'exercice de ses pouvoirs. L'alliance, dans le monde moderne, utilise toutes les forces qui se découvrent et qui cherchent à s'employer en leur point d'équilibre, dans le dynamisme de la création. L'humanité ne cesse de s'enrichir de milliards d'êtres dont les puissances sont démultipliées à l'infini par la magie de ses pouvoirs toujours nouveaux. Dans l'éblouissement de ses lumières, comment échappera-t-elle à l'angoisse de ses pouvoirs, sinon en retrouvant le sens de la création, c'est-à-dire la transcendance de l'Être qui lui offre, avec la vie, la lumière ? Que dans cette lumière, l'humain découvre donc l'amour qui lui donnera enfin avec la clé de toutes ses prisons, celle de sa propre libération.

La Première Parole a ouvert la voie de toutes les réconciliations entre juifs, chrétiens, musulmans et le reste de l'humanité, comme avec la création entière, car elle révèle à tous Son existence avec Son Nom, Moi-même Elohîms. L'Hébreu a été tiré hors d'Égypte pour qu'Israël reçoive sa Tora, le chrétien en a eu la quintessence par l'Incarnation du Christ, et Allah s'est révélé au musulman en donnant le Coran à Muhammad. *Moi-même*, I(Adonaï)HVH est le premier Nom-Verbe incontournable de l'unité universelle créatrice d'être, de vie et d'amour. Un Moi-même qui est aussi vous-même.

Il ne sera pas pour toi d'autres Elohîms […]
Tu ne feras pour toi ni sculpture ni toute image […]

Comment l'humanité pourrait-elle se libérer des fétichismes aliénants qui l'asservissent ? Toute réduction de l'être à une image qui l'offusque est préjudiciable à la perception de la vérité dans sa nudité virginale.

L'Être n'est pas seulement une idée abstraite et transcendante. Il revêt aussi la dimension la plus concrète qui soit de la Vie. Toute expérience authentique est un moyen de faire communiquer le substrat sous-jacent à la diversité des personnes avec le *hic et nunc* de la perception sensorielle. Si l'on est en mesure de retrouver cette dimension ontologique primordiale dans le détail de ses manifestations, on réunit la partie avec le tout et le moyen avec la fin. Ce dépassement du cloisonnement qui divise l'être est une condition *sine qua non* du salut de notre humanité malade de ses idolâtries, de ses asservissements, de ses aliénations.

La Deuxième Parole donne la mesure de l'audace du Décalogue : l'interdiction des sculptures et des images, la prohibition de se prosterner et de les servir attaquent de front les croyances et les usages de l'humanité entière alors adoratrice de dieux multiples représentés sous forme d'images et de sculptures.

Aujourd'hui, l'humanité s'est fabriqué de nouvelles idoles. L'innocent ballon de football allume des passions mystiques d'une puissance comparable sur tous les terrains de sport de l'univers : certains joueurs sont achetés comme des objets et payés des centaines de milliers sinon des millions de dollars. Leurs partisans les vénèrent comme… des idoles.

Ces Elohîms, dirait-on en hébreu, prennent dans certains esprits la place réservée au Créateur des ciels et de la terre.

Tu ne porteras pas le Nom de IHVH [Adonaï], *ton Elohîms, en vain […]*

Porter le Nom implique nécessairement de se charger des ordres qu'Il promulgue et authentifie. En ce sens, toute violation des paroles alors même que l'on s'en prévaut et qu'on les revendique, est une trahison, une atteinte grave à l'unité, à l'amour et à la beauté dont elles sont génératrices.

L'histoire des Croisades est un exemple du mariage du meilleur et du pire dans un mouvement qui a ébranlé le monde plusieurs siècles durant. L'extraordinaire succès de l'appel du pape Urbain II à la chrétienté, en 1095, pour libérer les Lieux saints « aux mains des infidèles musulmans » était inspiré par un véritable élan de foi, identique à celui des bâtisseurs de cathédrales. Pour les croisés, le pèlerinage à Jérusalem et la libération du Saint-Sépulcre devinrent le but essentiel de toute vie chrétienne. Ceux qui sont morts en combattant les Sarrasins sont déclarés martyrs de la foi et sont assurés du salut éternel. Les ordres de religieux soldats animent la ferveur des foules lancées à la conquête de la Terre promise et de la Jérusalem terrestre, anticipation de la Jérusalem céleste dont le Christ est le Roi. Les malheureux pèlerins qui suivent d'enthousiasme Pierre l'Ermite (première croisade) ou répondent à l'appel de Bernard de Clairvaux (deuxième croisade) ont conscience d'être les héroïques chevaliers d'une guerre juste, soigneusement préparée. La croisade se renouvelle chaque printemps avec le départ de navires et de caravanes en marche vers la Terre sainte. Ces mouvements soulèvent la chrétienté entière. L'éphémère triomphe des royaumes latins de Jérusalem (1098-1289) conduit l'idéal de croisade à s'intérioriser dans les rangs d'une nouvelle *milita christ*, définie aux Ier et IIe conciles de Lyon (1245-1274). La « robe cramoisie » du « martyr » laisse chez les musulmans et chez les juifs, victimes des croisés, l'horrible souvenir de crimes inexpiables commis au nom d'un Dieu d'amour.

Le Nom est souvent utilisé de façon scandaleuse. Sur la boucle de ceinturon des soldats du Kaiser était gravée la formule *Gott mit uns*, réinterprétation teutonne et pangermanique de la formule *Immanu-el*, « Dieu avec nous ». *Dieu est-il français ?* s'interrogeait Friedrich Sieburg. De là à nationaliser Dieu, comme en Allemagne, il n'y avait qu'un pas que franchirent certains pasteurs luthériens inféodés au IIIe Reich. Dans cette logique, les atrocités perpétrées par les nazis étaient des actes de piété. À travers ce cas limite, on mesure les effroyables conséquences que peut avoir l'*invocation en vain* du Nom.

Quand un peuple inscrit sur ses étendards le Nom, il agit comme certains dictateurs qui « divinisent » leurs ambitions. Utiliser le Nom mêlé à l'amertume de nos haines et de nos ambitions comme arme de combat dans quelque guerre que ce soit, relève de l'idolâtrie, vraie trahison de l'Être créateur de vie et de paix.

Certains intégristes n'ont pas hésité à mobiliser leur Dieu, juif, chrétien, musulman ou autre, à la rescousse de leurs intérêts et de leurs haines. Ils n'hésitent pas à invoquer Allah comme le font les talibans en Afghanistan et les terroristes en Algérie ou en Israël au mépris du Coran. Leurs homologues israéliens, par bonheur moins nombreux, fomentent des crimes impensables, comme l'assassin juif qui a déchargé sa mitraillette sur d'innocents musulmans en prière dans la mosquée de Hébron, ou cet autre, assassin du président du Conseil Yitzhak Rabin.

Toute utilisation du Nom créateur à des fins égoïstes ou faussement idéologiques est vaine et criminelle.

Souviens-toi du jour du Shabbat [...]
Tu travailleras six jours [...]
Le septième jour, [...] tu ne feras aucun ouvrage [...]

Ce repos est celui de la Création. Il nous renvoie à ce que d'un mot réducteur et barbare nous qualifions d'« environnement ». Ce mot est impuissant à désigner les ciels, la terre et les mers, la totalité de l'espace et du temps auxquels notre être est lié indissolublement de sa naissance à sa mort ! Car l'« environnement » ne saurait se réduire à ce que nos sens – nos yeux, nos oreilles, notre odorat, notre toucher ou notre goût – en appréhendent. Notre vie tout entière dépend de l'univers où nous vivons, non seulement de ce que nous en connaissons aujourd'hui mais de ce qu'il est réellement, dans ce qu'il a d'évident comme dans son plus insondable et plus inviolable mystère.

La terre, tout comme l'homme, a droit au loisir, au retour en elle-même pour un ressourcement intérieur. Aujourd'hui, cette terre exténuée par une vertigineuse surpopulation et par les méthodes de l'agriculture moderne crie grâce. Saurons-nous l'entendre ?

L'année sabbatique nous rappelle la nécessité du repos de la terre (Lv 25,1-22), alors que la règle de rentabilité est de continuer d'exploiter tout ce qui peut l'être, hommes et biens… jusqu'à épuisement total. L'impératif de survie commande de prendre des mesures concrètes pour mettre un frein à l'excès de l'accaparement des terres, des déboisements et de l'exploitation abusive des sols. Elles s'imposent de nos jours comme une exigence irréfutable. Les écologistes y trouveraient la confirmation scripturaire de leur défense des droits de la nature. Celle-ci est aussi une création d'Elohîms. Les Dix Paroles défendent ses droits au même titre que ceux de l'humanité. L'homme, de droit divin (« Calife » sur terre selon le Coran), est le défenseur et le garant des droits de la nature, de l'ensemble de la création et des créatures. *Bal Tashhit*, « ne détruis pas », enseigne la sagesse hébraïque. Telle devrait être la loi fondamentale de l'homme en face de la nature. Il est de son devoir d'interdire la destruction des centaines de milliers d'hectares de forêts, des milliers d'espèces végétales et animales, saccagées, assassinées chaque année par le fait de l'homme.

Mais le souvenir du Shabbat et sa garde ne seront réels que lorsque le samedi judaïque, le dimanche chrétien et le vendredi musulman ne seront plus seulement des fêtes familiales donnant lieu à des cérémonies religieuses dans les synagogues, les églises ou les mosquées, mais la célébration cosmique des réconciliations universelles.

Glorifie ton père et ta mère […]

« Il n'y a pas de bon père. Qu'on n'en tienne pas grief aux hommes mais au lien de paternité qui est pourri », disait Jean-Paul Sartre. Les problèmes du monde moderne commencent, à n'en point douter, au sein du couple et de la famille qu'il fonde. Cette phrase du philosophe est frappante et révélatrice de sa manière. Ce n'est pas le lien de paternité qui est pourri, mais la façon dont il est vécu, à notre époque plus particulièrement, par certains des individus qui composent la famille. Nos grands-parents ne pensaient jamais qu'il n'y avait pas de bon père et encore moins que la relation entre les générations était pourrie. La vie familiale donnait généralement la preuve vivante et vivifiante du lien de parenté qui drainait l'histoire de l'humanité. Le lien parental, loin d'être pourri, était le sel de la vie.

Les relations entre les générations seront critiques tant que le noyau primordial de la société qu'est la famille ne sera pas réhabilité dans la perspective égalitaire qui se manifeste à travers la formulation de la Cinquième Parole : *Glorifie ton père et ta mère*. C'est dans l'inégalité entre le père et la mère que se nouent tous les drames et que s'accumulent toutes les rancœurs génératrices de violence. Le respect des parents est le corollaire du respect mutuel dont ceux-ci font preuve l'un envers l'autre. On imagine difficilement un tel respect dans un ménage désuni et disloqué où la femme n'est pas pleinement l'égale de l'homme.

De nos jours, nous assistons à un éclatement de la cellule familiale. Les taux très élevés de divorces qui caractérisent les sociétés occidentales ont abouti à une multiplication des familles monoparentales. Le respect pour la mère est infiniment plus charnel et donc plus spontané, plus matriciel. La mère est fondamentalement associée à la nature, à notre Terre mère.

La Cinquième Parole introduit l'homme et la femme, symboles de l'humanité, dans leur finalité de père et de mère. Le Cantique des cantiques représente également le couple, la Sulamite et son amant, dans les péripéties de leur amour, sa naissance, son exil, sa renaissance : l'amour est leur seule pensée. Mais les amants sont seuls, sans enfants. Leur fécondité est d'un autre ordre, ontologique.

Le Décalogue parachève le couple par une progéniture dont le devoir essentiel est de lui donner du poids, selon le sens du mot hébraïque *kabed*, « donner du poids ». Ce verbe connote tout le poids que le texte hébraïque donne au père et à la mère, associés à l'être même de la création qu'ils parachèvent en donnant naissance à leurs enfants. Ceux-ci doivent à leurs parents davantage que l'*honneur* : ils ont le devoir de leur *rendre gloire* puisque engendrer des enfants associe à la gloire du Créateur. Le texte ne précise ni l'âge d'un couple ni sa couleur. L'important est de se reconnaître comme fruit d'un acte créateur qui impose aux générations un devoir de mémoire et d'amour spécifique à la nature humaine.

Tu n'assassineras pas

Le sens de cet ordre est assez clair et précis et disserter sur le sujet relève de la gageure. Cependant, cette parole est une innovation majeure dans l'ambiance sanguinaire qui règne dans l'histoire des hommes. Certes, la Tora de Moïse n'exclut pas l'usage de la violence et, tout au long des récits, il n'est que trop souvent question de sang. Mais cette profusion est tout à l'honneur de la Bible, étrangère à toute propagande ou déformation tendancieuse des faits. Elle ne cache rien. Ni la faute d'Adam, ni le meurtre de Caïn, ni les frasques de Mme Potiphar, ni les trahisons des frères de Joseph. Et pas même le meurtre commis par Moïse : voyant un garde-chiourme égyptien brutaliser un esclave hébreu, saisi de fureur, il le tue d'un coup de poignard. Le prophète à qui incombera le devoir de proclamer l'ordre de ne pas assassiner commence sa vie publique en commettant un meurtre.

Ce paradoxe entre un idéal de non-violence et une violence inévitable est révélateur de la nature de la Sixième Parole et de celles des Dix autres. À l'époque, tuer un homme, surtout quand il s'agissait d'un esclave, n'avait pas plus d'importance qu'abattre un chien. Le Décalogue, comme nous l'avons dit, est un texte déclaratif plutôt qu'un constat législatif. Soulignons-le : en hébreu, les paroles ne sont pas formulées à l'impératif mais à l'imperfectif, ce qui est révélateur de leur vocation éducative. Cette éducation élève l'homme à sa vraie dignité de créature, réplique de l'Être suprême, source de vie, non de mort.

Ceci doit nous rendre plus attentifs aux questions de biologie fondamentale étroitement liées à l'éthique. Les questions de contraception, de planification familiale, d'avortement clinique se posent aujourd'hui à la lumière des découvertes chaque jour renouvelées de la science. Des communautés religieuses, spécialement les juifs et les catholiques, sont poussées à reconsidérer leurs positions héritées de traditions anciennes qui remontent aux siècles de la Bible et du Nouveau Testament. Fidèles au Talmud, les juifs, plus particulièrement les rabbins orthodoxes, sont inflexibles sur la défense de la vie, fût-elle fœtale, comme sur les règles qui autorisent et réglementent la pratique du prélèvement d'organes ou de l'autopsie. L'Église catholique insiste sur la nécessité de mettre le progrès au service de Dieu et des hommes.

Mais l'homme est placé parfois devant de cruels dilemmes : faut-il ôter la vie d'un fœtus pour garder vivante une femme en couches ? Faut-il mettre fin aux souffrances d'un malade en phase terminale ? D'innombrables problèmes de ce genre surgissent quotidiennement dans les hôpitaux et les cliniques, auxquels les familles, les médecins et les religieux s'efforcent de répondre de leur mieux. Les réponses varient selon les écoles, les religions, les cultures et les personnes confrontées à la mort. La vie humaine est inviolable : nul ne peut y mettre fin par un crime, un suicide, un avortement ou par euthanasie. La personne existe pour le bien de tous.

Tu n'adultéreras pas

Tu ne commettras pas l'adultère, disent les traductions. L'hébreu *na'af* a un sens bien plus large. L'adultère est l'un des cas où cette racine peut s'employer, mais elle ne recouvre pas la seule trahison de la fidélité que les époux se doivent. Ce sens a été privilégié en chrétienté du fait de la prolifération de l'adultère dans le mariage monogame. En milieu polygame, c'est-à-dire dans l'humanité entière à l'époque où les Dix Paroles sont proclamées, *na'af* condamne non seulement l'adultère, mais toute *adultération* de la conduite de l'homme ou de la femme, dans ses rapports vis-à-vis d'autrui ou de soi-même. Au Moyen Âge, l'*adulterator* était un falsificateur de monnaie. Le *noef* ou la *noefet* sont des personnes qui violent les règles admises non seulement au sein du mariage, mais de toute bonne conduite. *Adultérer* doit être compris ici dans son sens ancien d'« altérer la pureté », de « falsifier ». Le *noef* est ainsi un adultère, un brigand, un escroc, un dévoyé, un débauché en tous genres de malversations… en tous sexes, toutes inconduites ou toutes déloyautés. Flirter avec les idoles, quelles qu'elles fussent, c'est frauder I$\overset{\text{Adonaï}}{\text{HV}}$H, notre créateur, l'unique source de notre être.

La Septième Parole doit être ainsi comprise beaucoup plus largement. Les traducteurs de la Bible étaient conscients de la difficulté présentée par la racine *na'af*. Le grec *moikheneis* fut choisi pour mieux insister sur la responsabilité morale et juridique de l'homme qui entretient des rapports avec la femme d'autrui.

L'homme était en droit de se marier légitimement avec plusieurs femmes. Pour lui, le crime d'adultère n'existait qu'avec une femme mariée, les femmes libres lui étant toujours permises soit comme épouses légitimes, soit comme concubines. Le respect d'une certaine éthique dans les rapports sexuels ne revêt donc pas le même sens dans une société polygame, comme l'était celle des Hébreux de la Bible, ou dans nos seules sociétés occidentales à prédominance monogame.

L'une des constantes de l'éthique et de l'esthétique bibliques est de comparer l'alliance entre Elohîms et Israël à une alliance conjugale. Ce leitmotiv conduit à présenter l'idolâtrie comme une violation d'un lien conjugal, et révèle qu'il y a entre la Deuxième et la Septième Parole un lien qui est davantage qu'une figure de style. La pulsion visant à diversifier le plus possible ses partenaires sexuels ne s'apparente-t-elle pas fondamentalement à une dispersion idolâtre ? Inversement, l'affirmation d'un amour exclusif, tel qu'il est chanté dans le Cantique des cantiques, a pour corollaire un rapport privilégié avec l'Être suprême. La multiplication des épouses eut souvent pour résultat l'introduction de cultes idolâtres au sein de la famille hébraïque. L'exemple de Salomon est célèbre : son épouse égyptienne avait édifié à Jérusalem un temple à la gloire de ses dieux. Un autre roi d'Israël, Achab, dont la femme Jézabel était sidonienne, se détourna de l'alliance avec I$\overset{\text{Adonaï}}{\text{HV}}$H. Non seulement il subventionna le culte de Ba'al, mais poussé par sa femme, étrangère et idolâtre, il persécuta les zélateurs de l'Elohîms d'Israël.

Grave est la duplicité de l'être humain qui n'est plus en mesure d'honorer son alliance avec I$\overset{\text{Adonaï}}{\text{HV}}$H, cette alliance étant inhérente à son être. L'adultère le plus grave dans la logique des Dix Paroles est celui qui oppose le « moi » de l'homme au *Moi-même* du Créateur. L'unité ontologique de la créature et les promesses qu'elle contient doivent répondre à l'unité du Créateur et conditionnent la survie de l'être.

En ce qui concerne les couples, il n'existe qu'un seul remède universel, l'amour. L'amour fonde l'union de deux êtres. Périsse l'amour, périra le couple. Il se disloquera de sa propre discorde. L'enjeu est ici l'institution du mariage, salutaire à bien des égards lorsqu'elle est librement consentie ou, mieux, voulue. Les mal-mariés sont voués à l'adultère. L'adage « Il vaut mieux être seul que mal accouplé » est souvent vrai.

La première fonction de l'Elohîms de la Bible est de libérer les Hébreux de l'esclavage d'Égypte. Idéalement, l'homme est un être libre et toute tentative visant à lui imposer des certitudes risque de tourner à la catastrophe. La clé du bonheur et de la vertu réside sans doute dans l'accomplissement de la personne dans l'amour de ce qu'elle est et de ce qu'elle choisit de faire. En ce qui concerne le mariage, il ne doit jamais devenir une prison. Ceux qui ne sont pas faits pour le mariage ne devraient pas s'y risquer. Il existe bien d'autres façons de vivre l'amour. Mais de quelque manière qu'il soit vécu dans chacun des multiples univers culturels, il importe d'exclure du couple le mensonge et le faux-semblant. La fidélité ne doit pas être vécue comme une contrainte.

Tu ne voleras pas

Il y aurait tant à dire du vol, du désir de s'approprier ce qui appartient à autrui. On assimile souvent le vol à l'argent car celui-ci est ce qui est le plus désiré, mais la liste est longue de ce qui excite la convoitise de l'homme.

Personne ne tolère le vol. Et pourtant, toutes nos sociétés, qu'elles soient capitalistes, communistes, sociales-démocrates ou autres entretiennent ce fléau. Il n'est que de prendre le principe même du commerce qui suppose que l'on vende plus cher ce qui a été acheté. Si ce principe élémentaire de la transaction commerciale n'est pas appliqué, point de bénéfice et, partant, point de commerce possible. Or ce principe, généralement admis, devient avec la meilleure conscience une source de vol tel que nous pouvons le constater dans nos sociétés capitalistes. Nos trop nombreux intermédiaires et nos marchandages transforment le marché mondial en lieu de vols publics.

Peut-être nous acheminerons-nous vers une résorption du phénomène de l'argent avec les tentatives d'unification des systèmes monétaires qui peuvent mettre un frein à l'appétit des spéculateurs ? Ou faut-il attendre un grand cataclysme, un gigantesque krach boursier, qui réduirait à néant l'économie monétaire et qui rendrait leur dignité aux denrées agricoles et autres dont les cours ont dramatiquement chuté à force de spéculations ?

Faute de pouvoir éradiquer le mal, il importe de développer une prise de conscience individuelle de la relativité de la possession. La meilleure solution passerait par une réforme de l'individu plutôt que par une révolution sociale. L'expérience a montré que seuls les individus sont susceptibles de s'amender, tandis que les corps sociaux sont travaillés par une force d'inertie invincible.

Mais comment éradiquer de l'être humain ce penchant qui lui semble si naturel ? En dehors de son corps et de ses facultés mentales, l'homme ne possède rien. La progression personnelle et la recherche de liberté intérieure devraient avoir pour corollaire la maîtrise des appétits qui poussent l'homme à s'approprier ce qui ne lui appartient pas.

Il faudrait pour cela qu'il puisse maîtriser sa peur instinctive du manque. L'homme hérite de cet instinct en naissant. Le bébé a raison de crier et de réclamer son biberon : il en va de sa vie. Toutefois, en grandissant, il se voue à la possession plus qu'au partage. L'autre est un ennemi : ce qu'il possède, il m'en dépossède. Peu importe la logique dès lors que notre voisin menace nos appétits pharaoniques, de contrôle ou de possession.

Le poète Khalil Gibran écrit dans son ouvrage *Le prophète*, à propos du commerce : « Pour vous la terre livre son fruit et vous ne manquerez de rien si vous savez comment remplir vos mains. C'est en échangeant les dons de la terre que vous trouverez l'abondance et serez comblés.

Cependant à moins que l'échange ne se fasse dans l'amour et la justice bienveillante, il conduira les uns à l'avidité et les autres à la faim. »

Les uns à l'avidité, les autres à la faim…

Tu ne répondras pas contre ton compagnon en témoin de mensonge

La plupart des morales de l'humanité interdisent le mensonge et le faux témoignage, mais cette tendance est tellement ancrée en l'homme qu'au lieu de l'éliminer chacun se justifie en en faisant peser la faute sur l'autre.

Dans une société antique rivée aux croyances surnaturelles, le serment servait à authentifier les dires de celui dont la parole était incertaine. Les châtiments dont les parjures étaient menacés dans la Grèce antique avaient de quoi dissuader les menteurs. Malheureusement, ces menaces et ces serments étaient aussi vains et mensongers que les faux témoignages qu'ils étaient censés confondre.

Aujourd'hui, la presse, la radio, la télévision nous abreuvent chaque jour de témoignages contre la vie, l'honneur ou les biens d'autrui. Comment ajouter foi aux informations mêlées à la désinformation systématique dont les médias nous abreuvent si souvent ? Il s'ensuit un grand flou dans l'appréciation de la vérité et de la justice. Que l'on vive sous un régime dictatorial brimant la liberté d'expression ou dans une démocratie où l'on peut librement exprimer son opinion, le résultat n'est sans doute pas le même ; mais dans tous les cas, il est nécessaire de rechercher la vérité du fait.

L'effet pervers du mensonge est d'instiller le doute sur la vérité. Les « révisionnistes » essaient de démontrer que les six millions de victimes juives du nazisme sont une invention. Ils profitent du climat désabusé dans lequel baigne l'opinion publique des pays libres. Si l'intelligentsia européenne ne s'était pas laissé piéger par les discours totalitaires du stalinisme ou du maoïsme, Faurisson aurait été inconcevable. La désillusion qui accompagna la découverte des goulags de Staline et des bagnes de Mao entraîna donc cette tendance à tout remettre en question, même des faits avérés. Cette maladie est caractéristique de nos sociétés postmodernes, pétries de relativisme. Ainsi le Temple de Jérusalem serait-il, affirment certains imams, une invention des juifs… bien que cité dans le

Coran (S. 3,37 et 39). D'où Jésus aurait-il chassé les marchands si le Temple de Jérusalem était une invention des juifs ?

Le faux témoignage le plus constant a une double portée : devant l'Être suprême et devant soi-même. Quoi que nous fassions ou pensions, face à I$\overset{\text{Adonaï}}{\text{HV}}$H, dont nous sommes les créatures, le mystère dépasse infiniment ce que nous pouvons en comprendre. En face du Nom, nous ne pouvons que mentir par défaut d'expression. Face à soi-même, la parole risque toujours d'être vaine, non plus par défaut, mais par excès. Nous avons de nous-mêmes une perception tronquée notamment par le fait qu'il s'agit de nous-mêmes. Où que nous soyons, quoi que nous fassions, nous avons la perception irrémédiable d'être le centre du monde, erreur qui peut devenir aisément notre raison d'être et de vivre. À cette tendance s'ajoutent les diverses tromperies auxquelles nous engage toute vie en société.

Une fois que l'homme aura cessé de se mentir à lui-même sur ses sensations, ses sentiments et ses pensées, il sera à même de ne plus mentir à autrui. La lucidité de l'individu est la garantie de la transparence dans les relations humaines et dans les rapports entre les groupes.

Tu ne convoiteras pas la maison de ton compagnon,
Tu ne convoiteras pas la femme de ton compagnon

La Dixième Parole confirme et élargit la dénonciation de l'adultération à la convoitise et même au simple désir, indissociable de la condition humaine, pour en faire l'objet d'un interdit juridique. La plupart des Paroles concernent des actes plutôt que des intentions. Seule la prohibition de l'idolâtrie vise l'intériorité de l'âme et pas seulement l'objectivation du fait. Ce paradoxe s'explique si l'on pense aux conséquences pratiques de la convoitise qui peut dégénérer en rancune, amertume, aigreur, jalousie et parfois aller jusqu'au meurtre.

La frontière entre le désir et la convoitise est tracée dans la Bible par l'objet, permis ou interdit, qui est convoité. À vrai dire, le désir, *héphéts*, le plus légitime se trouve dans la Tora de I$_{\text{HV}}^{\text{Adonaï}}$H : ce désir s'accompagne d'une manifestation de volonté. Il ne suffit pas de *désirer* la Tora : il faut « murmurer » et méditer « sa Tora jour et nuit », nous dit le Psalmiste (Ps 1,2). Le désir amoureux dont il est ici question permet à l'homme d'échapper à la voie du mal et de progresser dans la connaissance de la Révélation de la Parole de I$_{\text{HV}}^{\text{Adonaï}}$H. Le verbe *haga*, « murmurer », indique à la fois une lecture cantilée du verset, sa mémorisation, et la réflexion qu'il provoque.

Le désir ne doit pas être fugitif, mais constant, si fort qu'il conduise l'homme à « murmurer la Tora jour et nuit ». Cette permanence du désir est réalisée par les contemplatifs, juifs, chrétiens ou musulmans, qui pratiquent la prière telle que l'enseignent les Psaumes. J'ai également rencontré dans des monastères hindous ou bouddhistes les contemplatifs de religions non bibliques en qui l'amour avait produit le miracle d'une inhabitation de l'homme et de l'objet de son amour dans la voie d'une mystique unitive.

Ainsi l'être humain est-il appelé à transformer sa convoitise en désir créateur, par la magie de l'amour. La création est l'essence de l'Alliance. L'hébreu rend le concept d'alliance par le mot *berit* qui dérive de la racine *bara*, « créer ». Là s'exprime le lien ontologique qui unit l'être à sa création. Nous sommes intrinsèquement liés à notre création, comme Il l'est à Sa Création. Le père est dans l'enfant, le peintre dans ses toiles.

La synergie des Dix Paroles

Dans la tradition hébraïque, les dix doigts des mains correspondent aux Dix Paroles : l'acte de l'homme, sa création, sa Parole.

Les cinq doigts de la main droite, main des miséricordes, représentent les cinq premières Paroles régissant les rapports de l'homme à l'Être créateur du ciel, de la terre, et du couple géniteur de l'humanité.

Les cinq doigts de la main gauche, main des rigueurs, représentent les cinq dernières Paroles. Celles-ci, interdisant le meurtre, l'adultère, le vol, le mensonge et la concupiscence, régissent les rapports des hommes entre eux. Elles désignent l'homme en tant que responsable de l'avenir de l'humanité mise en demeure de choisir entre le Bien et le Mal. Ces lois fondamentales ne sont pas proclamées au nom des droits de l'homme, de l'ordre public, de la justice sociale ou de la morale, mais par יהוה, Lui-même, au nom de l'Être de tout être, source unique et lumineuse du Réel.

Moi-même, I^{Adonaï}HVH*, ton Elohîms… – Tu n'assassineras pas.*

La Sixième Parole est une conséquence directe de la Première affirmant l'existence de ce *Moi-même,* I^{Adonaï}HVH*, ton Elohîms*, Créateur et Père de ses créatures. Assassiner l'une d'elles, c'est attenter à Celui qui l'a créée, tout crime étant par essence une atteinte à l'Être créateur.

Les Dix Paroles sont au fondement de la Bible, inclusives des réalités terrestres et célestes à la fois. Les deux Tables de la Tora n'en font qu'une et toutes les lois se déduisent en synergie de la proclamation du Nom. Aussi, en violer une revient à les violer toutes.

Tu ne te prosterneras pas... – Tu n'adultéreras pas.

Se prosterner devant d'autres Elohîms, c'est commettre l'adultère vis-à-vis de $\text{I}\overset{\text{Adonaï}}{\text{HV}}\text{H}$. Osée développe ce thème : Israël est l'épouse de son Dieu. Elle est adultère quand, Le trahissant, elle s'unit aux idoles.

Tu ne porteras pas... – Tu ne voleras pas.

Porter le nom de l'Elohîms en vain correspond à commettre un vol ; l'homme devient alors un usurpateur.

Souviens-toi du jour... – Tu ne mentiras pas.

Ne pas se souvenir du Shabbat consiste à mentir à $\text{I}\overset{\text{Adonaï}}{\text{HV}}\text{H}$. Le Shabbat est le jour de vérité de tout homme, celui où chacun est nu devant son Créateur. Transgresser, c'est être un témoin de mensonge, le Shabbat étant par excellence le signe de l'Alliance d'Israël avec le Créateur des ciels et de la terre.

Glorifie ton père et ta mère... – Tu ne convoiteras pas...

Ne pas glorifier ses ascendants, ne pas leur donner du poids, conduit à convoiter le bien d'autrui. Donner poids à son père et à sa mère, c'est reconnaître en eux le Créateur auquel les enfants doivent également la vie. Sans le lien qui unit les générations les unes aux autres, la mémoire de l'humanité comme celle d'Israël serait anéantie. La glorification du père et de la mère consacre la cellule familiale et concerne toute question relative au mariage, à la filiation et, par extension, à la vie en société.

La pyramide de l'Alliance

Cette alliance réalisée avec Israël au travers des Dix Paroles s'inscrit en fait dans une série qui constitue une pyramide d'alliances entre IHVH[Adonaï] et l'humanité. Et chaque alliance s'exprime elle-même par une ou plusieurs lois.

La première d'entre elles est la création et l'injonction faite à Adam et Ève : « Croissez et multipliez. »

La seconde à être conclue est celle qui engage Noé et l'humanité entière. Sept lois sont alors données qui amorcent la définition de la loi universelle : l'interdit du blasphème, de l'idolâtrie, des perversions sexuelles, de l'assassinat, du brigandage, de la vivisection et enfin l'obligation d'instituer des tribunaux de justice.

La troisième alliance, celle d'Abraham, concerne non seulement Israël en Isaac mais aussi son frère musulman en Ismaël. Ici leur est donnée à tous deux la loi de la circoncision.

La quatrième est l'alliance sacerdotale. Au sein du peuple d'Israël il existe douze tribus et, parmi ces douze tribus, deux ont un rôle sacerdotal : les Cohen et les Levi. Une alliance particulière unit le Créateur avec les familles consacrées à la direction spirituelle du peuple. Les Cohen étaient chargés du service du Temple et les Levi plus spécialement de l'éducation du peuple. Du fait de l'exil, tous les juifs ont été sans distinction soumis à cette loi religieuse, très contraignante et très dure, afin de préserver la continuité du peuple, des coutumes, la langue, les attributs de la nation d'Israël. Cependant, alors que notre existence est sauvée du fait même de l'existence de l'État d'Israël, il me semble que nous pourrions aujourd'hui revenir à ce type d'organisation. Des rabbins, des prêtres et des imams pourraient reprendre le rôle des Cohen et des Levi, tandis que le peuple aurait le droit de choisir son type de vie et les lois religieuses qu'il aurait à respecter.

La cinquième alliance est de nature royale. Les rois sont unis à leur peuple et à leur Dieu par des lois particulières. Il est intéressant de constater que le réseau d'obligations qui liait les souverains à leurs peuples était bien plus important que de nos jours et qu'ils avaient plus d'obligations que leurs sujets.

Viennent ensuite les alliances du Nouveau Testament, avec le Christ, et du Coran avec Allah et Muhammad.

La pyramide de l'alliance se termine vers les cieux et c'est l'ultime alliance, l'alliance messianique qui couronnera cet édifice par le salut de l'humanité entière.

L'alliance exclut tout enfermement dans quelque ghetto que ce soit. La fraternité universelle doit se réaliser par la création d'alliances toujours plus profondes et toujours plus réelles. Cette pyramide de l'alliance qui va du plus universel au plus individuel, de l'humanité entière à chacun d'entre nous doit être réalisée dans chacun de nos actes. Chaque acte posé doit vivifier cette vision du réel et non nous en séparer.

C'est à partir de ces préceptes qu'un avenir pourrait s'ouvrir pour l'humanité. Chacune de ces Paroles est lourde des problèmes de l'humanité et de leurs solutions. L'humanité de tous les temps et plus particulièrement celle de notre siècle qui est confrontée à l'absolue nécessité de se rédimer si elle veut fonder un avenir de lumière. En conscience, notre humanité doit réaffirmer qu'elle s'inscrit dans l'ordre de la Création, ordre dans le sens opposé à désordre, car il est l'unique alternative à la survie de la créature. Cet attachement à l'ordre qui nous a créés, dans son universalité, se manifeste par l'alliance créatrice que nous entretenons avec Lui. Il nous faut L'adorer, au vrai sens du terme. Le mot qui traduit « adoration » est le mot *Aboda*, « travailler », « œuvrer ». C'est par l'œuvre de l'homme que se manifeste son respect de l'Être et de la créature. Notre création exprime le respect de Sa Création. Alors, que ce travail soit bon ou mauvais, réalisé à la force de l'amour ou de la haine, nous sommes dans l'ordre de la vie ou l'ordre de la mort.

Le choix de notre rectitude dans la Transcendance, dans le respect de ces éternelles Paroles d'Alliance, nous offre une possibilité d'œuvrer à notre réconciliation et de transcender les divisions qui existent dans nos cœurs desséchés, étrangers à la mansuétude et qui ne participent d'aucun dessein divin. Par la force de son choix et le don de sa personne, l'homme peut décider d'entrer dans l'ascèse des Paroles et vivre en fraternité avec le collectif des hommes et de la Création. Par notre foi et notre engagement d'amour, nous portons en nous-mêmes le feu de l'Alliance.

6

Celui qui entend IHVH [Adonaï] : Israël, qui est-il ?

La vocation d'Israël est par essence la médiation entre les hommes, entre les siècles, entre les cultures et les religions. Cela était vrai du temps de la Bible et plus encore aujourd'hui. Car la vraie mission d'Israël est de réaliser l'Alliance. L'Alliance des hommes avec la Création, l'Alliance des hommes entre eux.

Israël, étymologiquement, est « Celui qui lutte avec Dieu ». L'histoire a jeté la confusion sur ce terme, l'assimilant tantôt à la nation juive en exil, tantôt au peuple hébreu lui-même. Israël est bien trop universel pour se limiter à une conception ethnocentrique. L'Alliance est révélée au peuple hébreu au bénéfice de l'humanité entière. Malheureusement, cette vocation messianique et prophétique initiale s'est trouvée après l'exil en butte à la cruauté des nations. Paria des nations, le peuple hébreu s'est replié sur lui-même. La réalisation de l'Alliance était impossible dans le contexte des pogroms, des ghettos, des inquisitions, des déportations qu'ont subis les juifs de l'exil.

Selon la Bible, les Hébreux ont été choisis parce qu'ils étaient *le plus petit peuple parmi les nations*. Leur langue était peu parlée. Le défi de la diffusion de la Révélation était à la hauteur du Message.

$\text{I}\overset{\text{Adonaï}}{\text{HV}}\text{H}$ ne se présente pas comme une divinité irascible s'imposant par la terreur à toute une population. Il rompt avec cette tradition et s'impose au contraire comme le Dieu de l'humilité, celui qui demande la reconnaissance de ses serviteurs. En langage freudien, nous pourrions considérer qu'à la créature revient le choix de reconnaître son créateur. L'homme, « machine à faire des dieux » selon Bergson, a librement choisi Adonaï Elohîms, révélé à Moïse dans le désert du Mont-Sinaï.

Un et pluriel

Josué dit : « C'est parce que Israël a élu Elohîms qu'il a été élu par lui, pour le servir… » (Jos 24,22-26). Parmi les dieux des nations, dont les Prophètes nous rapportent qu'ils sont plus nombreux que leurs villes, se révèle celui qui est par essence l'être de l'Être, celui qui les transcende tous, celui qui Est. Il est Un, et multiple parce qu'il les représente tous. Et Israël Le choisit non plus dans un rapport de dépendance entre le divin et l'humain mais dans celui de l'amour filial.

$\text{I}\overset{\text{Adonaï}}{\text{HV}}\text{H}$ est Un, mais Il n'est pas seul. C'est un Elohîms parmi les autres Elohîms. L'acharnement dont nous avons fait montre à dire que Dieu est Un a fini par mener à la conclusion et à la confusion qu'il n'y avait qu'un seul Dieu et que les autres étaient des idoles qu'il fallait abattre. Mais c'est méconnaître que chaque peuple, chaque ville avaient leurs dieux et leurs temples – Israël était d'ailleurs raillé d'être si pauvre qu'il n'eut qu'un seul dieu et un seul temple. Parmi ces autres Elohîms certains étaient bons, d'autres terribles mais il n'y a dans toute la Bible pas un mot ni contre les dieux des nations ni contre leurs prêtres. Le sacrilège naît de la perversion qu'entraîne leur culte, et non de l'essence de leur existence. Cet Elohîms est donc par essence pluriel. Il est Un mais pluriel, multiple. En outre, dans la tradition hébraïque, la méditation sur la personnalité du Dieu d'Israël a abouti à ce que disent les kabbalistes : dix entités divines articulent cette unité. Les dix Sephirots de la Kabbale résument ou définissent l'unité de ce dieu. Ceci a été trahi au cours des siècles parce que les Hébreux, chassés de Terre sainte, se sont repliés sur eux-mêmes et n'ont plus voulu avoir de contact avec les autres civilisations. Cette condition *sine qua non* de la persistance, de la continuité de leur existence en tant que foi a fait oublier ce fait : Adonaï Elohîms est entouré par les Elilîms, les idoles des nations.

La grande nouveauté de ce dieu qui bouleverse l'humanité entière réside dans le premier mot de la première parole prononcée sur le mont Sinaï : *anokhi* est en hébreu le pronom personnel « moi-même ». À ce moment très précis I$\overset{\text{Adonaï}}{\text{HV}}$H se révèle directement à l'homme et non plus par l'intermédiaire de ses prophètes. Il s'insère dans le cours de l'Histoire. Il s'adresse, rappelons-le, directement aux hommes pour leur révéler : *anokhi*, « moi-même ». « Moi-même I$\overset{\text{Adonaï}}{\text{HV}}$H qui parle du Nom-sans-nom, ton Elohîms. » Ce moi-même est toi-même, vous-mêmes, nous-mêmes. C'est ce dieu qui parle le langage des hommes, ce dieu merveilleusement et tragiquement humain qui vit en nous tous. I$\overset{\text{Adonaï}}{\text{HV}}$H n'est pas une idole mais « moi-même » au tréfonds de moi-même. Il est l'être vivant, la personne vivante et nous sommes tous les fils de ce dieu. Nous sommes tous de nature divine puisque créés par Lui, comme tout ce qui nous entoure.

Son anonymat signifie que le monde entier a un Créateur unique qui se trouve dans chaque parcelle de ce qui est créé ; de même qu'un fils est tout entier pénétré par l'être du père. Voilà ce qui a été trahi par l'enseignement des religions. Alors que la religion biblique tient tout entière dans les quatre lettres imprononçables du tétragramme : c'est l'Être Créateur qui est la base et l'essence, l'Être de tout être. Il n'y a pas de parcelles du monde créé qui soient étrangères aux créatures que nous sommes. L'unité des cieux et de la terre est tout entière.

Le refus d'Être

Nous l'avons vu, des siècles d'ostracisme ont réduit ce message salvateur, aussi neuf aujourd'hui que jadis, à des querelles « de clocher ». En fait, il s'agit de querelles de « clocher, de minaret et de synagogue ». La transcendance libératrice émanant de l'Être devait être cette alliance entre l'homme et la Création, l'être et l'Être.

Le refus constant des nations, des hommes, des religions à s'allier dans leur unité originelle a causé les plus grands torts à notre humanité. L'homme lutte depuis l'éternité avec ses mal-être. Il est ainsi fait qu'il refuse trop souvent ce qui lui est offert. Peur ? Concupiscence ? Chacun est une réponse.

En acceptant l'Être nous acceptons de colmater la faille première : la révolte contre le Créateur. Nous sommes des *créatures* et Freud nous enseigne la nécessaire acceptation de notre condition afin de nous libérer. Point de place pour le mensonge, les frustrations et les peurs, il nous faut briser les mythes et dessiller les yeux au rythme d'une lecture du Livre qui soit celle de l'ouverture et non de la fermeture, de la beauté plutôt que de la laideur.

Une voie est ouverte qui permette de dépasser nos divisions et de donner sa chance à la Vie.

Un homme nouveau, capable de reconnaître ses peurs et de ne pas y succomber, doit naître. L'acceptation de notre condition est indissociable du bonheur immense que peut nous procurer l'existence. Il faut dire Amen à chaque instant. J'adhère à la Vie, à ce qu'il m'est donné d'être, à ce qu'il m'est donné de vivre. Tel Job confronté à la perte des siens et de ses biens, il ne faut pas renier la Vie, nous devons toujours espérer en Elle. L'amour est fort comme la mort.

Par ce choix, j'adhère à ma condition et j'adhère à l'Autre. Je transcende mes propres peurs et arrête de les projeter sur mon prochain. J'accepte de ne plus haïr, quel qu'en soit le prétexte, car haïr c'est Te haïr et me haïr. J'accepte de me débarrasser des mythes qui me voilent le sens de ce qui est et de regarder chaque chose dans sa lumière. La lucidité est seul gage de notre délivrance, elle met en lumière les zones d'ombre qui, en nous, nous réduisent à notre esclavage.

La résurrection d'Israël

Dans son rêve prophétique, Theodor Herzl pensait que les Arabes se réjouiraient de voir revenir leurs frères juifs en leur terre et que le son des trompettes, plutôt que celui des canons, les accompagnerait. Ce retour, cette résurrection se voulait un message d'espérance et de liberté à tous les peuples de la terre. La déclaration d'indépendance de l'État d'Israël affirmait que s'il était possible au peuple juif de resurgir dans l'Histoire après vingt siècles d'ostracisme avec pour apothéose les atrocités de la Shoa, ce serait possible pour tout peuple. Ce retour est un phénomène spirituel davantage que politique. Sous le regard des caméras du siècle, nous avons pu assister à la résurrection d'un peuple, d'une terre et d'une langue !

Malheureusement, cette résurrection provoqua bien plus d'incompréhension encore que n'en avait soulevé l'exil. Il était d'ailleurs dramatique que, à l'heure où le juif sortit enfin de sa tombe, il trouvât assis sur la dalle de marbre chrétiens et musulmans.

Cette résurrection était bien sûr un événement sans précédent. L'humanité n'a vu qu'un seul homme ressusciter : il était fils de Dieu. Comment pouvait-elle réagir en voyant tout à coup un peuple entier, une langue, un État, ressusciter ? Les problèmes qu'un tel phénomène engendre sont énormes et nous en vivons aujourd'hui les conséquences. Personne n'était préparé à ce retour. D'où les réactions instinctives de refus, fruits de siècles d'enseignement à l'enfermement.

Bien que les organisations sionistes aient proposé dès les années 20 de partager la terre avec les Arabes – il ne s'agissait pas à l'époque de « Palestiniens » –, elles se heurtèrent au mur de leur refus et de la guerre. La propagande arabe de l'époque ne voulait rien entendre et ne cessait de menacer de « jeter les juifs à la mer ».

Parlons ici des *Arabes* et non des *Palestiniens*. Ce sont les États de la région qui ont refusé l'association davantage que les habitants locaux. C'est un fait historique : l'économie qui s'est mise à fleurir dès le retour des premiers sionistes a attiré des Arabes des pays alentour. Quand les troubles éclatèrent, une grande partie des habitants de la région n'était pas là depuis des siècles. Par ailleurs, la Palestine, en tant que telle, n'avait jamais connu d'indépendance au cours des siècles. Il n'y a jamais eu l'expression d'une identité nationale propre. La revendication nationale au Proche et Moyen-Orient est le fruit du socialisme arabe de ce siècle, non une réalité ancestrale.

Lorsque les Britanniques se retirèrent en 1948, l'État d'Israël déclara son indépendance, ainsi que le prévoyait le plan de partage des Nations unies. Les États arabes, alors que le même plan prévoyait un État palestinien, accepté alors par Israël, ne l'entendirent pas ainsi et déclenchèrent la première des cinq guerres qu'ils feraient à Israël dans le restant du siècle.

À ce moment précis, le conflit se politisa. L'ostracisme religieux allait s'exprimer à travers un conflit national et territorial. La rupture effectuée alors isole le conflit actuel de la continuité historique dans laquelle il s'inscrit. Nous l'avons écrit : cette résurrection est un phénomène spirituel davantage que politique. Résumer les événements d'aujourd'hui à un conflit de frontières est une grave erreur. Si nous ne saisissons pas le sens réel, prophétique et messianique de cette situation, nous ne serons jamais en mesure d'apporter des solutions pérennes.

Des tentatives de réconciliation

Seuls deux grands hommes émergèrent de la masse arabe et cherchèrent à nouer des relations entre Israël et les pays arabes, l'un au prix de sa vie, sur les bases d'une réconciliation autour du Livre. Je rends ici hommage à Anouar el-Sadate et au roi Hassan II du Maroc.

Lorsque ce dernier m'invita en février 1977 à le rencontrer, il brisait un tabou. Car d'un côté comme de l'autre il était impossible de concevoir une quelconque entrevue. Le gouvernement israélien a longtemps menacé de prison celui de ses ressortissants qui nouerait contact avec des Arabes. Approchant le gouvernement pour leur faire part de cette invitation, je me vis rétorquer de n'y donner aucune suite et que, de toute façon, « si le Maroc voulait prendre contact avec Israël, il connaissait l'adresse du gouvernement ». Cette réaction futile de la part de gouvernants me déconcerta, mais pas au point de me faire renoncer à ce voyage qui m'émouvait d'autant plus qu'il me permettait de poser à nouveau les pieds sur le sol de mon Afrique du Nord natale.

Allant vers lui, accompagné de ma femme et de notre ami Maurice Druon, j'avais conscience du courage qu'il avait fallu au roi pour m'inviter ouvertement à venir le rencontrer, premier souverain arabe à briser le tabou qui mettait les Israéliens au ban de la cité musulmane.

Le roi nous accueillit dans son salon, où le général Moulay Hafid se trouvait déjà. Le souverain chérifien avait en main un exemplaire de ma *Lettre à un ami arabe*. Après les salutations d'usage, à sa manière franche et directe, il entra dans le vif du sujet. Il me posa plusieurs questions sur le personnel politique d'Israël et sur les affrontements, au sein du parti travailliste, entre Rabin et Peres. Il me déclara alors : « Soyez mon messager officiel pour assurer votre gouvernement de ce que les États arabes veulent la paix. Les temps du refus d'Israël par les États arabes sont révolus. Plus personne ne nie la légitimité de l'État d'Israël, et plus personne n'en conteste l'existence. Le conflit ne sert plus que les intérêts du communisme mondial. Il fait le jeu des puissances étrangères, des marchands de canon, des pétroliers et des stratèges qui l'exploitent au profit d'intérêts qui ne sont pas ceux des Arabes ou des Juifs. Une nouvelle guerre signifierait une terrible saignée pour le Proche-Orient, et pour le monde le risque d'une troisième guerre mondiale. On sait qu'Israël a la bombe atomique. D'où l'urgence de préparer la paix par des négociations directes entre Israël et les Arabes, y compris les Palestiniens. »

Le roi évoqua alors la politique constamment favorable aux Juifs de sa dynastie. Son père, Mohammed V, avait eu une nourrice juive qui lui avait donné plus de lait que sa propre mère. Lui-même a peut-être eu jadis une grand-mère juive. Il est grand temps que les Arabes et Israël s'entendent pour maîtriser une situation dont ils sont les victimes. « Les États-Unis sont, dit-on, la première puissance mondiale. La deuxième puissance mondiale, ce n'est pas l'URSS mais les États-Unis hors des États-Unis, me dit-il. L'équilibre mondial actuel sera bouleversé le jour où les États arabes et l'État d'Israël feront la paix. Grâce à leur situation, à leurs richesses, à leurs relations internationales, les États arabes et l'État d'Israël s'érigeront alors au rang de puissance mondiale. »

Poursuivant sa méditation, le roi déclara que, puisque le conflit est exploité par des puissances qui ont un intérêt politique ou économique à sa prolongation – puissances qui seraient affaiblies par la fin du conflit –, il serait sage et opportun d'envisager le règlement des questions entre Arabes et Israéliens en tête à tête, par des contacts directs qu'il était prêt à faciliter sur différents plans, à commencer sur le plan religieux et théologique.

« Des relations existent entre nous, mais nous sommes las d'être gouvernés par des barbouzes, ajouta-t-il dans un sourire. Je vois aussi mon vieil ami Nahum Goldmann qui vieillit et politise tout. C'est sur le plan spirituel que nous devons entreprendre notre dialogue afin de mieux asseoir l'œuvre de paix. »

En sa qualité de Commandeur des croyants, il était prêt à réunir une conférence mondiale de musulmans, de chrétiens et de juifs. Il ajouta qu'il était prêt à écrire au pape pour qu'il s'associe à la réalisation de ce projet, auquel il me demandait de contribuer aussi.

Bien entendu, je m'étais gardé de soulever la question de Jérusalem. C'est le roi qui le fit incidemment, non sans humour, en déclarant à Maurice Druon : « Les Arabes ont La Mecque. Que pourraient-ils faire de Jérusalem ? Si une guerre doit être faite à Israël pour lui reprendre Jérusalem, ce serait aux chrétiens de la faire, pas aux Arabes ! »

Anouar el-Sadate fit preuve du même courage et de la même grandeur d'esprit quand il déclara à son Parlement, le 9 novembre 1977, qu'il « était disposé à aller jusqu'aux extrémités de la terre si cela pouvait empêcher un seul enfant de l'Égypte d'être tué ou blessé au combat » avant de lancer : « Israël sera surpris d'apprendre que je suis prêt à me rendre à Jérusalem, dans son Parlement, pour préparer la paix avec ses députés. »

Un vent d'enthousiasme souffla sur Jérusalem pendant les quarante-quatre heures où le président Sadate la visita. Il arriva le samedi soir 19 novembre 1977, à vingt heures, après la fin du shabbat. Son visage rayonnait d'une réelle grandeur spirituelle à son arrivée sur notre terre pour la visite qui engageait l'avenir de nos peuples et, dans une certaine mesure, celui de l'humanité. À l'aéroport de Tel-Aviv, dans les rues de Jérusalem, des dizaines de milliers de personnes, juifs, chrétiens, musulmans mêlés, acclamaient d'un seul cœur ce héraut de paix.

Ce jour dont Israël rêvait depuis trente ans arrivait enfin. Dans le discours historique qu'il prononça au Parlement, Sadate exprima ce que nous pensions tous. Il venait chez nous le cœur et l'esprit ouverts pour bâtir une paix permanente et juste. Sa ligne était droite, orientée vers un objectif clair. Il demandait à Israël de reconnaître et de respecter les droits du peuple palestinien, y compris celui d'un État. Il venait à nous pour nous transmettre un message au nom d'Allah, message qu'il résumait en deux versets, l'un de la Bible : « Amour, droit et paix », qu'annonçait le prophète Zacharie ; l'autre du Coran : « Nous croyons en Allah, en ce qui a été révélé à Abraham, à Ismaël, à Isaac, à Jacob et aux Livres donnés à Moïse, à Jésus, au Prophète par Allah. Nous ne faisons aucune discrimination : nous nous soumettons à la volonté d'Allah. » Rarement tant de grandeur avait habité notre ville.

Sadate tenta de faire approuver son initiative de paix par d'autres gouvernements arabes : seul le roi du Maroc le soutint publiquement. Tous les autres dirigeants du monde arabe, y compris les plus modérés, furent réticents sinon hostiles. La Syrie et la Libye rompirent leurs relations diplomatiques avec l'Égypte, imitées quelques jours plus tard par tous les pays de la Ligue arabe.

Ces derniers refusaient de saisir la chance que l'humanité espérait, leurs regards se tournaient, comme encore aujourd'hui, vers leurs intérêts terrestres plutôt que vers l'urgence céleste.

Ces deux hommes étaient des visionnaires qui avaient vu que ce conflit est fatalement condamné à mort. Il n'y a aucun avenir, pour aucun d'entre nous, à l'entretenir. Nous devons puiser en nous-mêmes le courage de nous extirper de ce cercle vicieux de la haine et de la peur et réaliser qu'aujourd'hui encore c'est bel et bien le conflit qui fait conflit. Les événements répondent aux événements et le tout s'enchaîne dramatiquement.

Arrêtons tout d'abord de nous mystifier : les Cananéens, les Hébreux de la Bible et les Philistins sont tous morts avec leur civilisation. Nous en sommes les héritiers nominatifs bien plus que charnels et notre humanité commune est la seule légitimité dont nous puissions nous prévaloir les uns et les autres.

Enterré, ce conflit permettrait à cette région de s'ouvrir sur un nouvel âge de son humanité. L'exemple européen est à nos portes et nous pouvons nous aussi aspirer à rendre à l'histoire des peuples les vestiges des États-nations et des guerres dont ils sont potentiellement porteurs. Sous nos yeux, les anciens ennemis français et allemands se lancent dans une aventure nouvelle riche d'espoirs et de possibilités. Au lieu d'exciter leurs convoitises respectives sur les richesses de l'autre, ils ont eu le courage de les partager.

Le vieux continent nous montre la voie à suivre : avec la volonté nous pouvons transcender toutes les frontières, les barrières, les haines passées.

Un ouragan d'amour devrait balayer les intégrismes de tous bords qui s'ingénient à faire échouer toute tentative donnant à la vie la chance qu'elle mérite. Aveugles à l'humanité qui est en eux, ils ne voient pas qu'ils sont des pantins au service du Mal, des marionnettes de l'absurde, et les premiers à réellement souffrir de cette cécité du cœur et de la raison.

Cela fait plus de cinquante ans que je suis un fervent défenseur de l'idée d'un Proche-Orient confédéral ou fédéral qui associerait les trois peuples israélien, palestinien et jordanien dans le cadre de l'ancien territoire du mandat britannique. J'en jetais les bases dans ma *Lettre à un ami arabe*, en suggérant diverses solutions qui assureraient la répartition fonctionnelle des compétences sur ces cent mille kilomètres carrés.

Je place mes espoirs les plus chers dans les tentatives de paix actuelles. Si l'histoire exige que nos deux États, israélien et palestinien, soient clairement séparés, alors je m'incline devant le pouvoir du temps. Mais je sais, au fond de moi, qu'aujourd'hui nous ne nous séparons que pour mieux nous retrouver : l'unité est le destin assigné à cette terre de la Révélation.

En ce qui concerne Jérusalem, je suis convaincu plus que jamais que l'unique issue à nos divergences, voire à nos conflits théologiques, se trouve dans l'acceptation émerveillée de celles-ci. Notre réconciliation réelle devra inaugurer une ère nouvelle dans l'histoire de ce troisième millénaire après Jésus Christ, celle où les conflits seront remplacés par les fécondités de nos synergies associées dans la diversité de leurs facteurs qui devront concourir à un effet unique : le salut de la création et de l'humanité entière en péril de mort.

Sans quoi le risque ne saurait que grandir, celui de notre disparition totale dans l'abîme du non-être. Les disputes entre juifs, chrétiens et musulmans sur le mont du Temple sont une réelle menace. Le mont Moriah doit devenir celui des synagogues, des églises et des mosquées.

La réconciliation profonde, réelle, non mensongère des religions abrahamiques ne sera véritable que quand elle sera inclusive de l'humanité et de la création tout entière.

À Jérusalem, des rabbins, des prêtres, des imams incarnent déjà le message salvateur. Parmi les nombreux textes, de toutes origines, écrits dans ce sens, citons l'émouvante *Lettre d'un rabbin d'aujourd'hui au rabbin de Nazareth*, ou *Chalom, Jésus* de Jacques Grunnewald.

Les Sœurs de Bethléem enseignent ouvertement ce même message au centre du grand couvent qu'elles ont construit à Beit Jamal, près de Jérusalem. Dans ce couvent, une salle d'oraison expose pour unique symbole sensible une Tora, un Nouveau Testament et un Coran. Innombrables sont ceux qui adhèrent à cet idéal de réconciliation universelle au sein de la grande famille d'Abraham et au-delà de ses frontières dans les ciels et sur la terre : il est tout entier inclus dans le premier verset de la

Genèse : « Entête Elohîms créait les ciels et la terre. » L'unité de l'acte créateur est ainsi inclusive de l'ordre salutaire.

Les fondements de cette réconciliation des peuples à Jérusalem sont inscrits dans l'histoire biblique. Lorsque les Hébreux entrent en Israël, ils commencent par graver la Tora en soixante-dix langues dans la pierre (Commentaire de Rashi sur Dt 27,8). Ces pierres gravées serviront à bâtir le premier Autel sur le mont Eybal (livre de Josué).

La vision des Prophètes attend l'époque où les nations viendront en toute fraternité réapprendre leur langue originelle redevenue claire pour tous (So 3). Et cela sur le mont Moriah, parallèlement au mont Sinaï – dont l'un des noms dans le Midrash est aussi Moriah. C'est la vision d'Isaïe : « Oui, ma maison sera criée maison de prière pour tous les peuples » (Is 56,7). Ce verset reprend l'Appel du roi Salomon le jour de l'inauguration du mont du Temple (1 R 8,41-43).

C'est l'histoire de Babel. Ce que les hommes de Babel voulaient édifier ensemble, par la force d'une langue unique, c'était le Temple reliant le ciel avec la terre. L'entreprise échoua, non parce que l'idée en était insensée, mais parce que le projet était dédié à la gloire de l'homme et non de son Créateur.

L'Alliance a eu pour premier symbole l'arc-en-ciel, symbole de la Gloire divine unie aux faiblesses de l'humanité. Ce message, les soixante-dix descendants de Noé, formant toute l'humanité, ne l'ont pas compris. D'où la dispersion et le morcellement des langues et des peuples.

L'humanité entière se rencontre ainsi à Jérusalem réédifiée par et pour Israël et les représentants de toute cette humanité.

Le projet original de Babel réussira ainsi à Jérusalem, parce que s'y rejoignent la Multiplicité des peuples de l'humanité et l'Unité sous-jacente du Créateur.

Ainsi, la rencontre ultime de toutes les nations en ce lieu unique réalise l'identité profonde de l'Alliance du Créateur avec sa créature : « En ce jour le Nom sera un et son Nom un. »

Des conditionnements ancestraux

Les extrémistes musulmans sont prisonniers d'une culture ancestrale qui ne veut voir dans les juifs comme dans les chrétiens que des *dhimmis*. Le statut du *dhimmi* est le statut d'être inférieur, « protégé », qui fut appliqué de tout temps aux juifs et aux chrétiens dans les sociétés musulmanes. Le choix était entre ce statut, la conversion ou la mort. Ce statut, apparu au IXe siècle, était un progrès sans conteste par rapport à la chrétienté médiévale : celle-ci ne donnait ni statut ni droit à tous ceux qui refusaient l'Église. Dans la société musulmane, les non-musulmans ne pouvaient prétendre à de réels droits et leurs conditions d'existence étaient fonction de l'humeur du sultan. Que celui-ci fût cruel, ou que ses caisses fussent vides, et les dhimmis étaient empalés ou rançonnés.

Archaïsme pour archaïsme, force est de constater que certains rabbins font écho du même mal à vivre dans leur siècle. À travers deux mille ans de ghettoïsation, ils sont parvenus à accomplir leur mission sacrée : sauvegarder leur identité et ramener leur peuple en Israël. Cependant, alors que le Retour est accompli, ils ne parviennent pas à se libérer de cette culture du ghetto. Ils entendent continuer à régir une société qui, elle, entend bien se libérer du poids des traditions rabbiniques pour enfin intégrer dans leur judaïsme de l'exil, les valeurs du prophétisme et du messianisme. Il est urgent et nécessaire que les rabbins effectuent un *aggiornamento*, qu'ils risquent de sortir enfin depuis l'exil pour accéder à la rédemption messianique. Il en va du respect du Nom.

Car, pour nous en tenir au Nom d'Elohîms, il est davantage profané par ceux qui l'emploient le plus, quand ils masquent de ce nom leurs idoles et exaltent leur ego et celui de leur peuple, la force, l'argent, l'instinct de domination, l'idolâtrie de la terre et cette pire trahison de servir non pas Adonaï Elohîms, mais l'idée que nous nous faisons de Lui. Interposer entre Lui, le prochain et nous une théologie ou une idéologie, de quelque nature qu'elle soit, nous condamne. Nous nous donnons droit à des circonstances atténuantes pour excuser et parfois masquer nos carences, nos fautes et nos crimes, mais nous en mourrions si nous les dénoncions et ne les réparions pas. Le seul fait d'entendre parfois dans nos rues les cris de : « Mort aux Arabes » – aux Arabes et non pas aux terroristes –, d'avoir des camps d'internement où dépérissent des milliers de prisonniers politiques, de tenir un rang peu enviable au tableau de la drogue et de la délinquance, de la prostitution, de la corruption politique ou financière, de l'intolérance religieuse ou de l'intransigeance nationaliste, devrait nous alerter et nous mobiliser pour un véritable réarmement moral, une véritable *teshouva*, notre retour vers nous-mêmes et vers Elohîms – source de tout amour et de toute unité – pour un redressement général. Il doit survenir d'urgence, avant qu'il ne soit trop tard – non pas en paroles mais en actes. Une importante partie de notre peuple en est consciente et s'est organisée en plus d'une centaine de comités pour œuvrer en ce sens. Il est nécessaire de féconder leurs activités pour les rendre efficaces. Ben Gourion avait raison : l'État d'Israël n'existe encore que dans nos rêves. Il ne pourra naître qu'aux lendemains de la paix avec nos voisins. Sans cette paix, il n'y aura pas d'avenir au Proche-Orient, ni pour nous ni pour eux.

La situation des juifs de la diaspora, qui n'ont pas à souffrir de ces problèmes, est différente mais néanmoins dramatique.

Ils sont dévorés par l'assimilation née de l'ignorance de leurs sources, de l'effacement de leur identité hébraïque à laquelle ils se rattachent soit par la religion, soit par le sionisme. Mais l'une et l'autre leur imposent le devoir de venir s'établir en Israël : qui parmi eux le fait ? Le refus d'Israël par la majorité des juifs de la diaspora a des causes évidentes : leur attachement à leur patrie d'origine et les difficultés que leur offre notre pays sans cesse au bord de la guerre, ce qui les condamne soit à déserter leur judaïsme, soit à vivre en conflit avec eux-mêmes. Ben Gourion parlait de leur schizophrénie : ils vivent dans leurs exils en aspirant, dans leurs prières ou leur sionisme, à gagner une patrie qui les espère, les attend et où ils ne viennent pas. Les problèmes d'Israël seraient plus aisés à résoudre si, au lieu d'être ici cinq millions de juifs, nous étions six, huit, dix, douze millions de citoyens à œuvrer pour notre renaissance. Le retour de Palestiniens partis en 1948 ne serait plus dès lors de nature à bouleverser les données démographiques d'Israël et à menacer son existence. Ce point ne serait même plus de nature à faire achopper les tentatives de conciliation. Mais, comme toujours, les absents ne s'empresseront de voler au secours de la victoire que lorsque celle-ci sera acquise…

Afin de parfaire l'image d'ensemble, il convient de dénoncer que ce conflit sert les intérêts inavouables des « marchands de canons » qui défendent les partis extrémistes ou ultra-nationalistes. Ils entretiennent leur clientèle dans le terreau fertile de ce climat de peur. Les sommes dépensées annuellement dans l'achat et l'entretien d'armements sont faramineuses et représentent des enjeux considérables. La mathématique du commerce des armes est implacable : l'investissement annuel mondial dans l'armement équivaut exactement à la dette globale des pays du tiers monde. Ici La paix irait contre les intérêts trop bien compris des marchands d'armes. Ceux-ci bien sûr se moquent des 30 % de la population israélienne – et que dire de la population palestinienne ? – qui vit aux marges du seuil de pauvreté. Elles auraient tant besoin de voir l'équivalent de ce qui est dépensé en surarmement être dirigé à leur profit.

Que deviendra ce lobby si Israéliens et Arabes se rejoignent dans la paix ? Quelle menace agiter pour inonder la région des armements les plus sophistiqués ?

Il est toujours aisé de parler de paix, mais encore faudrait-il arrêter de produire et de vendre les derniers raffinements inventés par les semeurs de mort. Des sommets de cynisme sont atteints par ces hommes de l'ombre qu'il conviendrait de débusquer. Nos tribunaux internationaux devraient d'ores et déjà traquer ces monstres qui donnent aux bourreaux responsables de crimes contre l'humanité les moyens de leurs forfaits. Jean-Paul II déclarait : « Celui qui n'arrête pas la main de l'agresseur est son complice. » Que dire de celui qui lui tend la bombe ? Et que dire des États eux-mêmes marchands d'armes, dont l'économie est largement fondée sur ce commerce ? Il est temps de prévenir, en actes concrets et non plus en discours de colloques, les dangers que représentent les nouveaux armements qui sont autant d'épées de Damoclès prêtes à s'abattre sur nos foyers.

N'oublions pas les cent mille bombes nucléaires qui croupissent dans les arsenaux du monde entier et les folles manipulations de ceux qui se procurent clandestinement de l'uranium afin de le convertir en bombes artisanales.

Prenons enfin conscience de ce dilemme. On le retrouve dans la Bible quand le Dieu de Moïse dit : « Vois, j'ai mis devant toi la vie et la mort, la bénédiction et la malédiction, choisis la vie afin que tu vives » (Dt 30,19). Nous devons transformer la volonté de suicide de l'humanité en source de Vie et d'Amour.

Le sacrifice identitaire

Aujourd'hui, la vraie mission d'Israël, incluant les cent deux nationalités des juifs du monde entier, les musulmans de divers rites, les chrétiens en leurs quarante-cinq confessions différentes, les bouddhistes…, est de réaliser l'Alliance. Rappelés à nos devoirs, envers nous-mêmes et envers ce Dieu de la Bible que nous entendons servir, il nous faut revenir à nos sources, là où nous nous connaissons et reconnaissons. L'Alliance est ontologiquement liée à la Création. Celle-ci, *Beria*, ne peut subsister que grâce aux pouvoirs de celle-là. L'Alliance est par essence ouverture à l'Autre. D'où l'exigence du pluralisme de la pensée qui accepte la diversité des faits qui commandent le processus du salut universel.

Paul Claudel partageait cette vision de la vocation œcuménique d'Israël. Trouvant lui aussi son inspiration dans la Bible, il me disait : « Il faut être aveugle pour ne pas voir une intervention divine dans le retour d'Israël sur sa terre. » Ce retour avait pour but d'affirmer et d'accomplir la vocation œcuménique d'Israël liée au procès d'un salut universel : « Le caractère qui m'intéresse particulièrement chez les juifs, c'est qu'ils sont les citoyens de l'univers et que pendant des siècles ils ont eu l'humanité pour patrie, au-delà du temps, au-delà des barrières nationales, tribales ou culturelles : le message d'Israël s'adresse à l'homme tel qu'il est sorti des mains de son Créateur. »

Le fait d'être un contemporain du retour d'Israël en Terre sainte le remplissait de gratitude. Il voyait bien que la terre d'Israël, entre l'Asie, l'Afrique et l'Europe, est un lieu de rencontre privilégié de la chrétienté et de l'islam.

« Aujourd'hui, Israël doit revenir au centre du monde pour être au service de l'humanité, comme il le fut à l'époque biblique. Il doit, avec ses immigrants venus de toutes les nations de la terre, réaliser une société des nations concrète dont la loi sera de mettre en pratique le devoir de se faire du bien les uns aux autres. » Et c'est vrai. Plus de cent nationalités, de tous les âges et de tous les coins du globe, se sont donné rendez-vous sur cette terre. Israël est le microcosme des problèmes de cette planète, il en souffre tous les maux et a pour charge d'inventer le possible qui l'en guérira. Tous ces hommes ont apporté chacun ses problèmes et ses angoisses, ils s'entrechoquent les uns les autres dans un vacarme qui oblige, comme partout ailleurs, richesse et pauvreté à coexister. Ici aussi, ce fossé ne pourra être comblé qu'à l'aide des remblais de l'amour. Si nous guérissons l'humanité malade d'Israël, alors un nouveau message d'espérance s'élèvera dans les cieux. Il deviendra une pluie capable d'essaimer dans le monde entier les germes de la réconciliation.

Pour situer le problème à son échelle réelle, il faudrait imaginer que la France quadruple sa population et voie le nombre des élèves de ses écoles se multiplier par huit en vingt ans. Encore cette image est-elle fausse, Israël n'ayant ni les ressources ni les traditions françaises : il faut affronter les difficultés en partant, dans tous les domaines, de zéro.

Les forces de dissociation, au départ, semblaient insurmontables, et les plus raisonnables prévoyaient l'échec d'une si folle aventure ; ce peuple nouveau n'avait rien de ce qu'il est convenu d'attendre d'un peuple normal : ni langue commune, ni origine géographique identique, ni formation intellectuelle ou technique homogène ; on pouvait craindre à tout le moins la « babélisation » de la Terre sainte, elle-même dépourvue de tout ce qu'un peuple normal eût pu attendre d'une terre normale. La disparité se rencontre partout : toutes les nations de la terre et tous ses âges se côtoient en une journée israélienne. À côté d'un professeur d'université tout droit venu de Vienne, spécialiste de physique nucléaire, voici un Juif saharien au beau visage de Christ sous sa barbe de jais ; il est par ses vêtements, par sa culture et par ses mœurs, un contemporain des Macchabées ; et celui-là originaire d'Éthiopie ne déparerait pas la cour du roi Salomon ; cet autre, venu du fond de la Pologne, vous fait faire un bond de quelques siècles dans le temps ; il date bien du Moyen Âge, avec ses papillotes ; ces jeunes filles venues de Bombay ont des sourires de bouddhas ; et voici des Berbères arrivés tout droit du Sud marocain, témoins vivants des âges préislamiques du Maghreb ; ceux-là vécurent deux mille ans dans des cavernes de Tripolitaine : les ultimes troglodytes d'Afrique du Nord voisinent avec leur frère yankee qui parle du nez et mâche du chewing-gum en rêvant de soucoupes volantes, de vols interplanétaires, et côtoyant dorénavant les anciens citoyens de l'Union soviétique.

Un sociologue mexicain, au terme d'une enquête en Israël, concluait que « tout prouvait qu'Israël n'existait pas », tant les différences entre ses composantes étaient contradictoires. Et pourtant, le petit État est bel et bien là !

L'exclusion des traditions de ce peuple nouveau est inacceptable et impossible. Il faut tenter d'éviter les cloisonnements entre groupes d'origines et de mentalités différentes, prévoir l'unité de ce peuple nouveau, sans rien sacrifier toutefois des valeurs authentiques que portent les divers groupements qui sont en train de le constituer. Les problèmes s'aggravent des difficultés issues des différences de race, de culture, de langue, de mentalité, de mœurs, de niveau économique et d'âge technique d'hommes sortis non seulement de tous les pays du monde, mais presque de tous les âges de l'histoire. Le pays s'est donné là un rendez-vous de fin des temps où la totalité de l'humanité semble se récapituler et rechercher les voies de son unité nouvelle.

De l'identité juive aujourd'hui

Le nécessaire sacrifice identitaire que nous préconisons pour chacun a une expression spécifique dans la problématique juive, de la diaspora ou d'Israël. Confinée au ghetto par la pression des nations, l'identité exilique juive trouve ses repères ébranlés par ce retour prophétique et messianique auquel elle ne s'était jamais réellement préparée, bien que l'ayant attendu et chanté dans ses liturgies pendant deux millénaires.

La communauté des intellectuels juifs de France réfléchit activement à ce thème. Au cours d'un colloque, dont les actes sont reproduits dans le livre *Comment vivre ensemble ?*[1], un état des lieux est dressé de la situation, en diaspora française et en Israël.

Régine Azria, chargée de recherches au CNRS, expose la diversité du vécu de la judéité dans la communauté française de la diaspora. Elle distingue cinq catégories. Les *professionnels* « […] qui tirent leurs sources de revenus de leur activité au sein de structures communautaires et dont l'existence dépend de ces structures. Pour ceux-là, le "vivre ensemble juif" est communautaire, "leur" communauté ayant vocation à être inclusive, c'est-à-dire à englober le plus de juifs possible, voire l'ensemble des juifs. » Les *fidèles*, les pratiquants, pour qui « le vivre ensemble apparaît ici comme une nécessité évidente, comme une évidence qui s'inscrit dans la continuité

1. Albin Michel, 2001.

d'une tradition, telle qu'elle a toujours existé chez les juifs ». Puis les *militants*, aux motivations et à l'engagement variables qui « cherchent plus à "faire" et à "agir ensemble" [...] qu'à "vivre ensemble" à proprement parler ». Les *consommateurs* des différents services de la communauté qui « [...] ne cherchent ni le sens ni la cohérence dans leurs demandes juives. Fidèles à une logique consumériste, ils aspirent simplement à satisfaire des besoins ponctuels. » Enfin les *seekers*, ceux qui sont en recherche de leur identité, d'une spiritualité et « c'est moins une "inquiétude juive" qui les guide dans leur quête, moins le souci du judaïsme, de son authenticité, de son avenir, que *leur souci d'eux-mêmes*. [...] (Ils) cherchent peut-être aussi avant tout à renouer du lien social. » Rachel Ertel entend montrer « qu'aujourd'hui chacun aménage les composantes de son identité, définit les termes de l'altérité selon son bon vouloir. La ligne de démarcation qui enclôt et rassemble ceux qui se reconnaissent comme *mêmes* face à ceux qui sont identifiés comme *autres* n'a plus l'évidence massive et définitive de jadis. »

Il en ressort que certains sont totalement ouverts sur l'autre, juif et non-juif, sur la société démocratique, tandis que d'autres gardent l'intransigeance de leur ghetto. Le juif monolithe n'existe plus. Cette remarque est intéressante à bien des égards. Par extension, pas plus le juif que le chrétien ou le musulman ne peut être réduit à la foi qu'il porte. Qui saurait donner une définition exhaustive et définitive d'un « chrétien » aujourd'hui ? Rien qu'à Jérusalem, on peut dénombrer quarante-cinq confessions chrétiennes différentes. De la même manière, « musulman » ne peut pas représenter définitivement une personne à laquelle on s'adresse. L'islam de mon ami Dalil Boubakeur, recteur de la Mosquée de Paris, est sans comparaison avec celui du Hezbollah chiite. Méfions-nous aussi de classer « sunnite et chiite » en « bon et méchant » : le sunnisme vécu et pratiqué sous la houlette de la république française n'est pas celui d'Arabie Saoudite qui en sa branche wahabite participe au financement des réseaux islamistes terroristes, de l'Algérie à l'Afghanistan.

Pour Nelly Hansson, historienne, « ce défi, c'est celui de l'échange, du débat, de la confrontation des options. [...] Il s'agit [...] de réunir des individus dont la motivation à se cristalliser n'apparaît plus aussi forte qu'il y a quelques décennies. De les réunir, non pas *contre* quelque chose (l'antisémitisme, la menace qui pèse sur l'État d'Israël), ni pour quelque chose de dramatique (l'accueil et l'intégration d'une grande vague d'immigration), mais *en vue de* quelque chose qui est une construction de l'esprit, quelque chose vers quoi l'on peut tendre mais que l'on n'atteint jamais totalement : au-delà de la pluralité, le pluralisme. » Il est intéressant de constater à quel point ce défi peut être extrait d'une perspective uniquement juive et partagé avec l'ensemble de l'humanité. Les mêmes questions ne se posent-elles pas en effet au monde entier ?

Pour Ilan Greilsammer, professeur à l'université Bar Ilan, « le jour n'est plus très loin, semble-t-il, où les Israéliens devront enfin résoudre des questions qu'ils avaient soigneusement mises de côté au prétexte de la primauté suprême de la sécurité : qu'est-ce qu'un "État juif" ? quel doit être son contenu ? quels doivent être ses caractères ? que doit-il transmettre ? en quoi se relie-t-il à la tradition juive ? » Au-delà de cette question fondamentale, non résolue, de savoir si l'État d'Israël est un « État juif » ou l'« État des juifs », le professeur Greilsammer situe la fracture de la société israélienne au niveau du religieux et pense que toute réponse se trouve dans la résorption de cette fracture : « Sionistes laïcs et sionistes religieux communiaient dans le respect de valeurs implicites communes : recherche de la paix avec le monde arabe, défense et sécurité d'Israël, société démocratique, pluraliste et tolérante, accueil des immigrants, service militaire des jeunes... [...]. Or, ce "vivre ensemble" des laïcs et des religieux a éclaté [...]. Il n'en reste rien. » Cette rupture aurait été consommée autour de trois années charnières : 1967, 1977, 1987.

Le professeur Greilsammer conclut : « En fin de compte, existe-t-il des Israéliens, des groupes d'Israéliens qui tentent d'échapper à l'alternative entre identité post-sioniste déjudaïsée et identité religieuse néo-sioniste ? Oui, mais ils sont, il faut l'avouer, peu nombreux, ceux qui, du côté laïc, redécouvrent "l'armoire des livres juifs" et ceux qui, du côté religieux, tentent de créer des liens avec les laïcs. »

Au terme de ces exposés, nous serions tentés de croire qu'une des facettes du problème est celle de l'ouverture du ghetto sur lui-même. Des réflexes millénaires freinent aujourd'hui un aboutissement complet de cette réflexion.

Chaque religion, société, culture, personne vit actuellement une crise d'identité à laquelle elle cherche à répondre d'abord en son for intérieur, sans se risquer à se redéfinir dans le dialogue avec *l'autre*. La réponse se situe pourtant en dehors du *ghetto* où chacun a l'habitude de s'enfermer. Soit à l'intérieur de la communauté, ou plus encore à l'extérieur.

Au sujet de la cohabitation entre juifs et musulmans en Israël, le docteur Daniel Halpérin, qui se consacre à la prévention de la violence, remarque cependant que « vivre ensemble, donc, ne veut pas dire vivre en commun [...]. C'est être capable de s'entendre sur un objectif commun et d'harmoniser les démarches qui permettent d'y conduire. C'est assumer son identité et celle de l'autre en acceptant de partager les responsabilités qu'elles impliquent. Même si cela doit se payer au prix d'un divorce[1]. » La séparation n'implique donc pas nécessairement l'ignorance et le rejet de l'autre, tant que de bonnes volontés travaillent à rapprocher ceux qui se méconnaissent. Et le docteur Halpérin en est un exemple.

Jean Halpérin clôture ce colloque : « Le "vouloir vivre bien ensemble" suppose non seulement non-agression mais non-indifférence et la capacité de se remettre en question, de manière à aller au-delà de la seule tolérance. Peut-on, comme il le faudrait, enseigner l'art de l'écoute, si possible sans idées préconçues, et celui du parler vrai et juste, sans la tentation de dominer ? » Et il se demande toutefois « [...] pourquoi, d'un côté comme de l'autre, ce sujet important (le dialogue interreligieux) est encore perçu comme marginal et n'est pris en compte que de façon minoritaire. Est-ce à cause de la lourdeur et de la durée des stéréotypes véhiculés par l'Histoire ? Ou est-ce parce que, avant de se parler et, peut-être, d'agir ensemble au service de causes qui pourraient être communes, il faudrait être plus clair et plus assuré sur sa propre identité ? » La question reste ouverte.

La diversité de ces approches et leur pertinence montrent bien qu'une réelle réflexion est en cours. Je regrette cependant qu'elle soit trop souvent empreinte de la culture de l'enfermement. On voit bien à quel point le saut de l'exil à la rédemption messianique est périlleux. Il est cependant nécessaire et ne peut se faire que dans la synergie avec chrétiens, musulmans, bouddhistes, athées... Il ne serait que de le vouloir.

Les réponses se trouvent justement dans ce dialogue interreligieux « marginal ». Ce dialogue est affaire des autorités, mais également et surtout des fidèles. Nous sommes tous porteurs de l'Alliance : nous ne pouvons nous défausser de notre responsabilité individuelle sur des autorités religieuses, aussi légitimes

1. *Op. cit.*, p. 166.

et compétentes soient-elles. Si elles ont un rôle d'exemplarité à jouer dans le rapprochement, nous savons que la paix se fait dans le cœur de chaque homme et de chaque femme en priorité.

Nathan Wachtel, professeur au Collège de France, à travers l'exemple des marranes d'Amérique latine, les nouveaux chrétiens, séparés entre judaïsants et véritables chrétiens, de l'époque de la découverte du Nouveau Monde, nous livre « une modalité concrète du vivre ensemble » : « [...] Francisco Botello [...], brûlé vif en 1659, sera décrit par les annales comme l'un des juifs les plus endurcis que l'Inquisition ait châtiés. [...] (Il) était marié à une “vieille chrétienne”, Maria Zarate, [...] elle-même poursuivie, emprisonnée, accusée d'apostasie, d'avoir adhéré au judaïsme, à tort semble-t-il. Mais les déclarations des deux époux se font écho et révèlent, comme d'autres déclarations de prisonniers marranes, un certain relativisme : on peut assurer son salut dans l'une et l'autre foi. Pour Francisco Botello, l'on doit conserver le patrimoine que l'on a reçu, être fidèle à ses origines ; il place la croyance dans une dimension collective. Maria Zarate, elle, affirme le libre arbitre en matière de foi religieuse ; elle dit : “Que chacun suive la loi qu'il souhaite, Dieu le Père n'est pas en colère contre ceux qui servent Dieu le Fils et Dieu le Fils n'est pas non plus en colère contre ceux qui servent Dieu le Père [1].” »

Une voie est ouverte par la réflexion du rabbin Gilles Bernheim : « La fonction de la poésie, de la *chirah*, cette expression poétique que décrit le discours de Moïse cherchant,

1. *Op. cit.*, p. 110-111.

au seuil de la mort, à réactiver l'effort de construction du lien social, aurait valeur d'insurrection contre les limitations et les obstacles, capacité de réveiller cette angoisse qui gît, lovée au cœur de tout être humain, l'angoisse de ne pas être ce que l'on devrait être, capacité aussi de réveiller le scandale et l'étonnement devant notre condition[1]. » La poésie retrouvée permettrait de vivre ensemble – *in simul*, « à la fois et en même temps » – avec soi et les autres.

Chacun doit donc consentir un sacrifice d'identité. Le juif de la diaspora doit réaliser que l'heure de la rédemption messianique est venue et transcender son identité nationale de la diaspora. L'existence de l'État d'Israël en est l'expression concrète. Ce passage peut être douloureux : il rompt avec deux mille ans d'identité fondée sur la condition exilique, mais il est essentiel. Les chrétiens sont sur la voie de la réconciliation avec leurs sources hébraïques mais rien n'est gagné. Beaucoup pensent encore que le christianisme contient l'unique vérité révélée aux hommes. Le déicide est parfois, dans certains milieux, encore à l'ordre du jour. L'islam, quant à lui, doit rompre avec douze siècles de conception uniformisante d'une religion qui se voudrait unique et cela en contradiction avec le Coran qui exhorte chaque matrie à porter fidèlement le pacte qu'elle a reçu. L'islam doit reconnaître dans tout homme un frère, ainsi qu'il est écrit dans le Coran, et non un *dhimmi*. Il ne lui sera pas facile d'accepter le fait de la résurrection d'Israël.

1. *Op. cit.*, p. 15.

L'ouverture des monothéismes au reste du monde

Ces trois religions, qui ont le même Dieu, les mêmes prophètes, les mêmes finalités, sont sommées, au nom de l'Alliance, d'en finir là de leurs vaines querelles. Au sein de chacune d'elles, les hommes de bonne volonté doivent surgir et entraîner à la synergie de leur réconciliation. Mieux encore : une fois la paix acquise, ici pourra se réaliser l'alliance des religions abrahamiques aux religions asiatiques, ou africaines. Enfin, nous retournerons à nos racines car le dieu de la Bible est un dieu qui vient d'Asie et non du mont Palatin ou du Parthénon.

L'avenir religieux de l'humanité passe par une relation harmonieuse entre les théologies impersonnelles de l'Orient et le personnalisme des juifs, des chrétiens et des musulmans. Les peuples de l'Asie orientale pourraient s'allier avec les religions abrahamiques annonciatrices de l'Être essentiel en tant qu'Être matriciel et créateur. De leur côté, les fils d'Abraham, au contact de leurs frères indiens, tibétains ou chinois, pourraient accéder à une vision plus transcendantale et plus pure de l'Être.

Le patrimoine religieux de l'humanité ne se réduit pas aux deux pôles Orient et Occident. Chaque tradition religieuse peut apporter sa contribution à l'émergence de l'homme nouveau : l'animisme africain peut enseigner le respect de la vie et des existences ; le chamanisme sibérien ou amérindien est susceptible de révéler les possibilités insoupçonnées de notre psyché ; le totémisme peut concrétiser l'alliance avec le monde animal dont les fondements ont été donnés dans la Bible, mais dont l'application pratique est assez négligée par les peuples du Livre.

Durant mes voyages en Orient, je cheminais souvent en compagnie de Moïse. Rien ne prouve qu'il a connu l'existence des religions orientales, mais rien non plus ne permettrait d'affirmer le contraire. Le taoïsme s'est développé en Chine au terme d'une longue maturation qui remonte à la haute Antiquité : un peuple entier était en quête d'une religion, d'une éthique, d'un système du monde qui réponde aux mystères éternels de la condition humaine. La dénomination du taoïsme dérive de l'idéogramme *Tao* ou *Dao* qui signifie « la Voie ». Vers la même époque, Moïse recevait les Dix Paroles et la Tora. Le rapprochement entre les deux univers culturels, celui des Chinois et des Hébreux à l'âge de bronze, paraît inévitable surtout à propos de la première et de la Troisième Parole qui annoncent un Dieu sans Nom prononçable qui ne doit pas être invoqué en vain.

Pour justifier l'audace de ce rapprochement, difficilement concevable à ceux qui n'ont accès à la Bible que dans ses traductions, le premier chapitre du Tao enseigne :

> « Le Tao qu'on saurait exprimer n'est pas le Tao de toujours,
> le nom qu'on saurait nommer n'est pas le Nom de toujours.
> Le sans-nom : l'origine du ciel et de la terre.
> L'ayant-nom : la mère de tous les êtres.
> Ainsi, c'est par le néant permanent que nous voulons contempler son secret,
> c'est par l'être permanent que nous voulons contempler son accès. »

Ce rapprochement évident de nos sources éviterait surtout l'écueil que je redoute : voir juifs, musulmans et chrétiens s'enfermer dans un ghetto monothéiste coupé du reste de l'humanité. Ils rateraient là l'accomplissement du devoir d'universalité que nous commande l'Alliance ainsi qu'une impulsion nouvelle et positive à la redécouverte de leurs textes. Jamais une occasion ne doit être perdue d'éclairer nos religions d'enseignements nouveaux.

Le silence contemplatif ramène l'homme aux sources de la vision que je retrouvai dans maints monastères : les plus lointains aux Indes, en Thaïlande, en Chine avant que le communisme ne tente vainement de les détruire, ou au Japon que je connus intimement grâce à l'amitié de la communauté des *Makuyas,* les disciples du professeur Teshima. En 1948, ce professeur d'origine shintoïste ressentit la création de l'État d'Israël comme un appel céleste. Converti au judaïsme, il fonda une communauté qui bâtit un pont entre le Japon et Israël, une école proche de l'exemple du kibboutz et qui forma des centaines d'hébraïsants. Quel ne fut pas mon étonnement lors de ma rencontre avec le fondateur de cette communauté de l'entendre me répondre au téléphone à Tokyo dans un hébreu impeccable ! Le message prophétique des *Makuyas,* héritiers de la Tente d'assignation des Hébreux sortant d'Égypte, n'est pas sans évoquer en moi le souvenir d'un autre éminent ami, le père Jules Monchanin (1895-1957). Je l'avais connu à Paris, alors que jeune étudiant je cherchais ma voie dans une Europe déchirée par tous les maux. À cette époque, grâce à l'amitié d'Yvonne Jean, je rencontrai Louis Dallière, pasteur de l'église de Charmes en Ardèche. Tous brûlaient du feu de l'Alliance et incarnaient à mes yeux des exemples vivants d'une vie spirituelle consacrée au service de l'humanité. Ces grands chrétiens se contentaient de vivre leur christianisme dans la conscience des dangers apocalyptiques qui menaçaient l'avenir de l'humanité. Dès 1938, Louis Dallière avait la claire vision des épreuves qui allaient s'abattre sur les juifs ainsi que de l'avenir nouveau qu'ils trouveraient en Israël ressuscité : « L'unité se fera entre l'Église et Israël, fût-ce au prix d'une nouvelle théologie chrétienne qui soit ouverte au peuple juif ressuscité dans son pays. »

Jules Monchanin, ce jésuite originaire de Lyon, délivrait un témoignage non moins prophétique. Au lendemain de la guerre, il devait quitter l'Europe pour fonder avec le père Henri Le Saux (1910-1973) l'un des premiers *ashrams* chrétiens de l'Inde, *Shantivanam.* J'avais rencontré ces amis grâce à une autre rencontre : celle des sœurs Marie-Thérèse et Marguerite Prost, sur le pont du bateau me ramenant d'Oran à Marseille, qui devaient consacrer leur vie, la première au service des lépreux auprès desquels elle mourut en Afrique et la deuxième en Inde, à Pondichéry, où elle mourut. Avant de partir avec Henri Le Saux fonder dans le Sud des Indes leur *ashram,* Jules Monchanin avait tenu à me rencontrer en Algérie où j'habitais alors sur les sommets des montagnes de l'Atlas. Ces rencontres constituaient un témoignage de ce que devait devenir, au lendemain des massacres de la Seconde Guerre mondiale et des dizaines de millions de victimes, le dialogue interreligieux.

Toutes les religions vivaient repliées sur elles-mêmes, soucieuses de leurs problèmes internes et de leurs développements, voire de leurs conquêtes externes. L'*ashram* que Jules Monchanin partait fonder correspondait aux monastères que le père René Voillaume et mère Madeleine se préparaient à créer en milieu musulman à El Abiod-Sidi Cheikh dans le Sud algérien et d'où partit l'essor de l'ordre des Petits Frères et des Petites Sœurs de Jésus.

La traversée du Sahara que je fis dans ma voiture, en compagnie du père Voillaume, de sœur Madeleine et de sœur Jeanne, me permit, alors que j'étais le délégué permanent de l'Alliance israélite universelle, de pénétrer au plus profond de l'âme chrétienne auprès de mes éminents compagnons de voyage. Au lendemain de la Shoa, notre équipe n'était pas banale. Si nous parlions de religion, ce n'était que très rarement et jamais autrement qu'à titre informatif : à l'époque, l'urgence était de se connaître après des siècles de silences interreligieux, peuplés de méfiance et de craintes réciproques qu'il fallait exorciser.

Toutes les religions sont les fruits de longues évolutions, de syncrétismes, commandés par leur histoire. Le Verbe est la Vie. Le figer dans un instant et ne jamais vouloir le redécouvrir relève justement de l'intégrisme. La connaissance de I[Adonaï]HVH est la connaissance de la Création dans sa transcendance. Elle nous incite sans cesse à aller à Sa rencontre, de plus en plus profondément, de plus en plus amoureusement, de plus en plus dangereusement sur la voie de réaliser l'utopie de l'Amour.

7

L'utopie de l'homme nouveau

Donnez un lieu à l'utopie : elle cesse d'en être une

Étymologiquement, l'utopie, *u-topos*, est « ce qui n'a pas de lieu ». Les Écritures ont donné corps à la plus grande des utopies, celle de l'Amour. Les religions ont orienté l'humanité hors de la bestialité pour réaliser l'utopie d'amour de l'homme nouveau. Cette marche, ainsi que nous l'avons vu, n'est pas sans difficulté mais ces conflits doivent se résoudre par l'alliance synergique des trois religions monothéistes et des spiritualités du monde entier. L'issue des grandes tragédies que notre siècle a connues sera d'autant mieux trouvée que des utopistes, des hommes de bonne volonté s'uniront dans la synergie pour sortir de nos ténèbres.

Le messianisme transporte et incarne les utopies. L'Amour de I$\overset{\text{Adonaï}}{\text{HV}}$H nous oblige à devenir à notre tour des messies. Le Messie, *mesh'iah*, est l'homme oint de l'huile sacrale qui habilite au service sacré dans le temple. Les rois d'Israël étaient *messiés.* Contrairement à la croyance populaire, le messie n'est pas unique mais, tout comme Elohîms, multiple. La tradition juive n'attend d'ailleurs pas un mais plusieurs messies, c'est-à-dire des êtres qui ont la vocation de « *rapprocher les lointains* ».

L'acte messianique n'est pas simplement réservé à Jésus. Chaque homme a pour vocation de *rapprocher les lointains* et de sortir de sa prison temporelle. Il serait vain d'attendre le messie car c'est lui qui nous attend : le retour du messie se fait dans la mesure où chacun d'entre nous œuvre à rapprocher des lointains. Dans son livre *Moïse raconté par les Sages*, Edmond Fleg écrit qu'au Messie qui demandait quand viendrait son temps pour descendre sur terre, Dieu répondait : « Quand tous les peuples proclameront : – nous la connaissons, nous la proclamons, la Tora de Moïse, notre maître – ton tour sera venu [...]. »

L'un des premiers versets de la Bible, dans la Genèse : « Entête Elohîms créa les ciels et la terre, la terre était tohu et bohu, une ténèbre sur les faces de l'abîme, mais le souffle d'Elohîms planait sur la face des eaux. » Un rabbin demande ; « Qui est le souffle d'Elohîms ? » « C'est le Messie. »

Faire du Messie une idole inaccessible serait une grave erreur. Il faut sortir de ce besoin récurrent et pressant d'exemplarité : chacun doit être à lui-même son propre exemple. J'ai toujours refusé au cours de ma vie de jouer le rôle de gourou en n'étant ni rabbin, ni professeur ou homme politique. Alors que tout me poussait, aussi bien en France qu'en Israël, à prendre des responsabilités d'État. Chacun doit gérer sa liberté pour choisir sa voie. Les hommes comme moi ne sont que des transmetteurs : chacun doit marcher avec son propre ange gardien. Tout est à notre disposition si nous avons la volonté de nous éduquer et le pouvoir d'aimer.

Depuis ma naissance, j'ai vu des dizaines d'utopies se réaliser. La plus spectaculaire d'entre elles était le vol et l'arrivée des humains sur la lune. Les utopies se réalisent d'autant mieux que nous y croyons. L'utopie est l'exigence la plus nécessaire au monde. Dans le langage courant, l'utopie passe pour quelque chose qui n'existe pas mais en réalité l'utopie n'est pas ce qui est impossible.

Chaque jour l'utopie d'hier est en voie de s'accomplir. Sur la voie de leurs accomplissements permanents que je m'étonne que certains refusent encore de dessiller leurs yeux et osent répondre « Utopie ! » à qui rêve et veut réaliser ses rêves. Notre foi reste le moteur essentiel de la réalisation des utopies, comme des miracles.

« Un miracle, c'est quelque chose d'impossible et qui peut. » À sept ans, mon fils Emmanuel donnait cette définition du miracle à sa sœur Élisabeth, d'un an sa cadette. Le visage de cet enfant rayonnait et je ne crois pas avoir entendu définition plus sensée de toute ma vie. Nombreux sont les incrédules qui pourront ici sourire et se retrancher derrière la rationalité des coïncidences mais il est des faits qui ne trompent pas et dont nous avons malheureusement perdu la magie.

Dès ma tendre enfance j'entendais invoquer les noms en toute occasion, faste ou néfaste de rabbi Méïr, le faiseur de miracles, de rabbi Shimon bar Yokhaï. Tous deux faisaient partie de notre vie familiale : je voyais alors en eux des cousins puissants auxquels on faisait appel à la moindre difficulté, quand un enfant tombait malade, quand on partait en voyage, quand une affaire grave était engagée ou un risque pris. Il suffisait de s'ouvrir à eux pour être exaucé : de mémoire de juif, ils n'avaient jamais déçu personne. Plus tard, j'ai su que ces deux admirables protecteurs étaient des rabbis miraculeux, les ancêtres de la Kabbale : ils vivaient en Galilée voici dix-neuf siècles. Baba, Abraham Meyer, mon grand-père, leur vouait une dévotion sans bornes : il quêtait en leurs noms à chaque occasion et envoyait régulièrement des sommes aux fondations de Tibériade où rabbi Méïr, le maître du miracle, est enterré.

Nous vivions dans un miracle permanent où tout ce qui advenait avait raison et sens puisque tout naissait du vouloir d'Elohîms, Dieu. À qui confier les vies de ses quatre fils et de ses deux gendres mobilisés au front de la guerre de 1914 à 1918 sinon à rabbi Méïr, le protecteur de la famille et maître du miracle ? La technique d'assurance pouvait surprendre mais était fort simple : Baba mettait dans une cagnotte, qu'il envoyait à Tibériade, dix-huit sous-or par jour et par conscrit ainsi assuré. Lorsque l'un d'eux, à l'occasion d'une permission, devait traverser la Méditerranée, infestée de sous-marins allemands, Baba lui conseillait la pratique suivante : au départ, il devait prendre trois assurances, une pour le bateau, une pour les passagers et enfin une pour lui-même et à cette fin mettre de côté, dès l'embarquement, trois sommes toujours calculées en multiples de 18, chiffre symbole, en hébreu, de la vie et des vivants. Au débarquement, Baba serait là pour encaisser ces primes et les envoyer, séance tenante, à la fondation pieuse de Tibériade. Jamais, on doit le dire, système d'assurances ne fut plus efficace. Nos six héros, après la guerre que l'on sait, revinrent tous dans leur foyer sains et saufs, sans une égratignure.

Mais il est un témoignage encore plus flagrant des prodigalités de cette assurance. Dans une lettre en date du 16 février 1917, Baba rapporte :

« Dimanche, je ne t'ai rien écrit à propos du train de marchandises qui a déraillé dans la nuit du 8 février. Il venait d'Oran vers Temouchent avec 26 wagons de marchandises. À hauteur du pont de Rio-Salado, dans un virage, il a déraillé à

19 h 35. 23 wagons se sont fracassés les uns sur les autres. Il y avait 20 voyageurs : 16 sont morts et 4 ont été blessés. Benattar a perdu 25 moutons tués dans l'accident. On a estimé les dégâts à un million de francs-or… »

Là intervient le « miracle ». En cette période de grande pénurie, Baba avait pu se procurer vingt-cinq quintaux de sucre en poudre qu'il destinait à sa clientèle. Il poursuit :

« Jeudi, avant le déraillement du train, on m'avait annoncé que mon sucre avait été chargé sur ce train et samedi c'en était fait : la gare m'annonçait officiellement qu'il était perdu dans l'accident. »

Baba précise que, lorsqu'il avait acheté ce sucre, il avait contracté pour lui une assurance auprès de rabbi Méïr, le maître du miracle, afin qu'il le lui amène en bon état à Temouchent. Cette fois, l'assurance semblait n'avoir pas marché, ou pas totalement, mais c'était voir les choses superficiellement. En effet, deux des survivants de l'accident du vendredi avaient pu alerter à temps un train qui venait en sens inverse de Temouchent et sauver de justesse la vie de quatre cents permissionnaires. De quoi consoler Baba de la perte de vingt-cinq quintaux de sucre en poudre et lui rendre toute confiance dans les pouvoirs miraculeux de rabbi Méïr. Malgré le sucre perdu, l'assurance avait été payante. Mais ce serait mal connaître la parfaite efficacité du saint que d'admettre de sa part la moindre négligence dans ses services. Tandis que Baba jubilait en racontant à son fils Makhlouf le miracle des quatre cents permissionnaires, il reçut un nouvel avis du chef de gare d'Oran l'avertissant que, par erreur, son sucre n'avait pas été chargé sur le train accidenté et qu'il lui arriverait, en bon état, dès le lendemain : l'assurance mystique lui avait ainsi épargné une perte de cinq mille cinq cents francs-or. « Tu vois bien, concluait Baba, qu'Elohîms, béni soit-Il, et rabbi Méïr, le maître du miracle, sont avec nous. Implore-les, et ne crains rien, ô mon fils. »

Il ne s'agit pas ici de faire étalage de miracles survenus au profit de membres de ma famille car ce serait faire peu de cas de l'humilité que commande le Mystère. Non, ce n'est point par vanité qu'il faut croire, avoir la foi. Croire ne se résume pas à la définition qu'en donne le Robert : « tenir une chose pour véritable », ou le Littré : « être persuadé qu'une chose est vraie, réelle ». Situer la croyance au niveau des choses me stupéfie. Quel intérêt peut-il y avoir à tenir une chose pour véritable ? Une chose est ou n'est pas, indépendamment de tout ce que je peux en penser. À mon sens, croire ne consiste pas en une démarche intellectuelle disjointe des réalités de la vie, de ma vie. En hébreu, la foi se dit *émouna*, d'une racine qui a donné au français le mot *amen* : ce mot exprime l'état de celui qui adhère, qui acquiesce à ce qu'il entend ou à ce qu'il voit. La foi est ici acte d'adhésion, d'acquiescement, à une personne ou à une idée qui s'incarne dans l'homme en état d'amen, en état de dire amen. Il s'agit de beaucoup plus que de « tenir une chose pour véritable » ou d'en « être persuadé ». La foi, qui est adhésion, engage non seulement le jugement, mais l'être tout entier de l'homme, sa chair, sa pensée, son action.

C'est en vertu de cela que j'ai foi en un changement et que, miracle ou utopie, ce changement adviendra si nous nous y engageons. Je mets ma foi en un homme nouveau qui saura tirer de la situation actuelle tout le positif et inventer une humanité nouvelle. Inventer, en son sens premier, veut dire fonder, révéler, et c'est bien de cela qu'il s'agit au plus profond de mon désir. Notre but doit être d'inventer l'utopie de l'amour. En adhérant à Elohîms, l'homme peut se révéler et transcender toutes les peurs, les haines, les meurtres qui nous divisent afin de fonder un royaume d'amour, en lui et autour de lui. L'Alliance est ici pour lui rappeler ses devoirs.

Les devoirs du cœur au service de l'utopie de l'amour

J'eus l'heur, durant les terribles années de l'occupation nazie, de traduire Bahya ibn Paqûda, un grand mystique juif du XIe siècle. À l'instar de nombreux juifs dont le statut venait d'être révisé par le gouvernement de Vichy, je fus expulsé de Clermont-Ferrand. Le maréchal Pétain et ses ministres venaient d'abolir, avec effet rétroactif, le décret Crémieux qui avait consacré, soixante-dix ans auparavant, les juifs à la nationalité française. Non seulement ceux de mes aïeux qui avaient combattu pour la France perdaient, à titre posthume, toute identité, mais leurs descendants étaient à présent exclus de toute possibilité d'exercer un métier, d'assurer leur subsistance.

Je me réfugiais donc à Tence, en Haute-Loire, chez le pasteur Roland Leenhardt. Nous entretenions des relations intimes depuis 1936, alors qu'il était l'adjoint du pasteur Louis Dalliere, à Charmes en Ardèche. Je l'avais rencontré grâce à mon amie Yvonne Jean qui était une de ses fidèles[1]. Le pasteur Louis Dalliere fut l'une des personnalités les plus émouvantes et les plus lucides qu'il m'ait été donné de rencontrer. Sa pensée religieuse mériterait d'être publiée et largement diffusée. Dès 1935, il avait été clairvoyant sur la tournure que prendrait le destin d'un Israël vilipendé partout et par presque tous. Les protestants s'identifiaient aux épreuves des juifs, semblables à celles de leurs ancêtres à l'époque de Luther et de Calvin.

1. Voir *Lettres à André Chouraqui*, Éditions du Rocher, 1997.

C'est aussi durant cet exil à Tence que je rencontrais le docteur Paul Héritier. À quelques kilomètres de là, à Chaumargeais, il m'accueillait dans sa maison natale. Il m'en donna les clés, me recommandant d'en faire tout ce que je voudrais pour « sauver des vies humaines et concourir à la libération de la France ». À Chaumargeais, au centre de la France, l'un des lieux les plus actifs de la Résistance, je devins le représentant de l'OSE, l'Organisation de secours aux enfants. Notre action était épaulée par les pasteurs Leenhardt, Trocmé et Theiss, soutenus par une population protestante unanime. Celle-ci s'identifiait, *héréditairement* pourrait-on dire, au malheur qui frappait leurs frères juifs. Les protestants revivaient, à travers notre sinistre expérience, les persécutions qu'ils avaient eux aussi subies.

C'est donc pendant les rares heures de loisir que me laissaient les activités du maquis que j'entrepris la traduction de l'œuvre fondamentale des *Devoirs du cœur* de Bahya ibn Paqûda. J'avais trouvé ce livre dans une des bibliothèques pillées par l'occupant allemand. L'œuvre traînait au sein d'une pile de volumes vouée à alimenter l'autodafé nazi. Je découvrais en Bahya l'un des plus grands esprits du XIe siècle, un véritable docteur de la spiritualité biblique que la haine antisémite vouait aux flammes. La guerre finie, je parachevais la traduction avec le concours de l'éminent professeur Georges Vajda, lui aussi réfugié à Chaumargeais. Je dus la première publication de *L'introduction aux Devoirs du cœur* à l'arabisant Louis Massignon qui, apprenant mon travail, m'avait demandé quelques bons feuillets. La revue numéro 10 de *Dieu vivant* accueillit mon article (p. 49 à 75). Je dédiais tout naturellement cette œuvre à Colette, ma première épouse « sans l'amour de laquelle jamais cette *Introduction aux Devoirs du cœur* n'eût vu le jour ». Jacques Madaule, alors directeur de la publication aux Éditions Desclée de Brouwer, lut l'article et édita l'œuvre en 1950. Depuis, l'œuvre de Bahya a connu un succès constant, les rééditions succédant à de nombreuses autres traductions.

À l'instar de Maïmonide, ce juif andalou du XIe siècle a écrit en arabe ses œuvres pour la défense de la Bible. La justesse de sa vision et la beauté de son style me transportent encore aujourd'hui et me sont une référence constante dans la conduite de ma vie intérieure. Les dix portiques, ou chapitres, qui composent son œuvre sont autant de portes que l'homme doit ouvrir sur la voie de l'accomplissement des paroles du Décalogue. Bahya trace l'itinéraire d'une dynamique, réalisant ainsi le manuel le plus précis de la marche de l'homme vers la lumière de Dieu. C'est le livre d'un homme sorti des frontières qui s'adresse à tout homme, qu'il soit bouddhiste, chrétien, juif ou musulman.

Partant de l'unité en Dieu, Bahya arrive, au dernier portique, à l'amour de Dieu. De l'unité à l'amour, il décrit avec la minutie du sage qu'il est tous les aspects de la vie intérieure. Loin d'être complaisant, il n'hésite pas à montrer la difficulté de cette voie, de l'ascèse et du don qu'elle exige. La confession de l'unité de Dieu ne doit pas seulement être verbale, elle doit se répandre dans la vie de la personne. Il invite au travail qu'il faut faire sur soi pour que cette proclamation de l'unité de Dieu ne soit pas un mensonge ajouté aux mensonges de nos vies. Le premier portique commence ainsi :

> « Lorsque l'homme a acquis grâce à ses pensées spéculatives la preuve de l'existence du Dieu un, son cœur et sa langue doivent être à l'unisson pour confesser cette unité divine, car la confession de l'unité varie selon les connaissances et l'intelligence de chacun.

> Pour les uns ce ne sont que des mots, ils entendent dire une chose et ils la répètent sans rien y comprendre. D'autres y participent par la langue et le cœur, ils suivent la tradition reçue des pères mais ils ne saisissent pas clairement la signification de cette unité dont ils reçoivent le dépôt. D'autres encore la confessent en comprenant le sens de ce qu'ils proclament, mais ils confondent cette unité avec toutes celles qui sont créées. Ils en arrivent à matérialiser Dieu, à lui attribuer forme et ressemblance, faute de connaître en vérité l'être et l'unité du Seigneur.
>
> Les moins nombreux reçoivent l'unité divine en leur cœur et la proclament par leurs paroles, ayant compris ce qui distingue l'unité réelle de l'unité métaphorique. Ils ont la certitude absolue de l'existence du Dieu Un. Ceci est le plus parfait. C'est pourquoi j'ai dit que lorsque l'homme a connu, grâce à des preuves certaines et logiques la réalité de Dieu, son cœur et sa langue doivent être à l'unisson pour confesser l'unité du Créateur. »

Cette confession de l'unité exige de mettre en marche le cœur et l'acte. Le cheminement de l'unité à l'amour en passant par tous les obstacles de la vie intérieure est sidérant. Plutôt que de dire « j'aime », il faut donner des preuves de cet amour.

Et cet amour dont nous devons entretenir le feu dans l'âtre de nos âmes, c'est encore Bahya qui nous en donne la définition la plus parfaite qu'il m'ait été donnée de lire : l'amour est « un élan de l'être qui en son essence se détache vers Adonaï Elohîms pour s'unir à sa très haute lumière ». Cette définition comporte quatre termes qui décrivent l'amour en ses états les plus universels et les plus variés. L'amour est un élan. Sans *élan* qui me porte vers l'Aimé, l'amour n'est pas ou n'est plus. Il est un non-amour, il est mort. Ainsi de ces couples qui ne savent plus que se dire, fatigués de leur face-à-face stérile ; ainsi de ces religieux et religieuses qui ne savent plus qui ni quoi contempler ; ainsi de ces hommes et de ces femmes éteints qui ne savent plus voir l'amour toujours présent, toujours vivant auprès de tout être qui ne le refuse pas. L'élan porte l'Amante vers l'Aimé et l'Aimé vers l'Amante, quels que soient leur nom et leur réalité : l'élan est le même, qu'il s'agisse du mystique dans sa solitude, du couple dans ses étreintes, de l'arbre vers sa fleur, de la fleur pour son fruit. L'élan manifeste l'essence de la vie d'amour : brisé l'élan, morte la vie.

Mais l'élan ne peut se déployer s'il n'est pas accompagné de *détachement*. Tout élan est brisé par mes attachements, par mes liens. S'il est retenu par ses amarres, comment le navire gagnerait-il la haute mer ? Les amours sont tuées, faute de détachement. Et le détachement n'est jamais acquis. Il doit constamment être reconquis. Je me détache de mille liens pour m'apercevoir que des câbles m'empêchent encore de répondre à l'amour. Le détachement exige un dépouillement de tout ce qui recouvre ma nudité et m'empêche de répondre à l'élan de l'amour. Sans détachement, l'Amante ne peut répondre à l'Aimé, l'arbre à son fruit, le soleil à la terre qu'il éclaire et réchauffe.

Détaché, l'élan, loin d'être brisé, s'exalte à me porter vers Celui, vers Celle que j'aime. La suavité de notre étreinte, mystique ou charnelle, végétale ou animale, dépend de la force de l'élan, et de la perfection du détachement. La nudité doit être totale pour que l'union soit parfaite.

Qu'une écorce, que la croûte d'une blessure mal cicatrisée, qu'un voile la recouvrent, et l'étreinte devient imparfaite, illusoire ou mensongère. Qu'une zone impénétrable de ma conscience soit en retrait de l'élan qui m'emporte, le voici brisé, tuant du même coup l'amour. L'élan de l'Aimé répond à celui de l'Aimée ou mieux il le sollicite, l'espère, l'attend, le prépare, le nourrit. Regardez l'univers et regardez-vous : tout n'est-il pas prêt pour le festin de l'amour ?

Celui-ci est élan, détachement, *union* et *lumière*, nous dit Bahya, dont le regard englobe la totalité du réel. En nous donnant sa définition de l'amour, il décrit précisément les rythmes les plus universels des règnes : le végétal, l'animal et l'humain vivent des rites de l'amour dont chaque créature ne cesse d'être en quête dans sa mort et dans sa vie, puisque je ne saurais vivre sans d'abord mourir. Sainte Thérèse d'Avila qui disait : « Je me meurs de ne pas mourir », savait-elle, néanmoins, que nul vivant, de sa naissance à sa résurrection, ne peut s'empêcher de mourir, s'il vit ? L'élan, le détachement de l'amour permettent l'union et son fruit qui est vie et lumière, lumière de vie. Par essence, l'amour est créateur de vie et de lumière pour peu que l'être s'abandonne à lui.

La définition de Bahya, inclusive de l'universalité du réel, est vraie quel que soit l'Aimé, quelle que soit l'Amante. Dans la vie de l'amour, le couple est un, sans nom, sans sexe, sans haut et sans bas, sans droite et sans gauche, sans mâle et sans femelle – un comme la vie est une en sa cause créatrice. Que j'aime Zeus, God, Thor, Mars, Bacchus, Vénus, Mammon, Baal ou l'une des huit millions de divinités du panthéon shintoïste, que j'aime une femme, que mes amours soient normales ou non, qu'elles soient légitimes ou dévoyées, elles n'existent que si elles sont subjectivement faites d'élan, de détachement, d'union, de lumière créatrice de fruits, qu'ils soient de vie ou de mort.

Bahya cependant nous dit qui il aime : I$\overset{\text{Adonaï}}{\text{HV}}$H. Lui, pas un autre. Rien n'est plus important que de connaître celui qu'on aime, de savoir son nom. Vous le savez tous : le nom de celui que nous aimons habite notre cœur, hante notre mémoire, toujours sur nos lèvres, dans notre bouche. Je suis Lui comme Il est moi. L'un des noms mystiques de IHVH (Adonaï) est, pour les kabbalistes, *Ani-Va-Hou*, Moi et Lui.

Ce nom définit bien l'amour qui est aussi un jeu de miroir : dans l'amour je me vois en Toi – et ce n'est qu'en Toi que je peux me voir et me connaître. Le Créateur se reconnaît à son œuvre. Il la crée pour se contempler en elle. Je ne peux pas me connaître ni me voir si je suis seul.

À l'aube d'une humanité nouvelle

L'homme nouveau vit la puissance de cet amour. Dans l'unité cosmique de la Création et du Créateur, il reconnaît en tout autre un frère avec qui il partage la Vie. Androgyne, il retourne à l'unité première de son être et célèbre la libération de la femme trop longtemps maintenue en esclavage. À l'écoute de IHVH (Adonaï), l'homme nouveau se libère de ses « ghettos » et transcende les causes des divisions de l'humanité. Que celles-ci s'enracinent dans la peur, la haine ou l'ignorance.

La réconciliation universelle de l'homme ne peut se faire sans la femme. Il doit se réconcilier avec la femme. Ne pas respecter la femme est une injure à la Vie ; et la Vie, c'est la femme. Tout homme est dans la femme et toute femme est dans l'homme. Il n'y a pas de frontière entre eux. Tout cela est dans l'unité fondamentale du Créateur et de la Création. L'homme a créé des ghettos tout à fait particuliers pour la femme et, partant, s'est lui-même enfermé dans son propre ghetto. À de rares exceptions, toute civilisation a dévalorisé la femme en lui attribuant un statut d'être inférieur, et, parfois, en n'accordant aucun prix à sa vie.

La libération de la femme est une condition de la libération de l'homme. L'homme doit comprendre qu'il ne pourra jamais être libre si la femme n'est pas sortie d'Égypte puisque l'esclavage de la femme implique l'esclavage de l'homme. Nous avons un allié puissant en toute femme et nous devons leur permettre d'atteindre l'expression de leur matricialité.

À l'occasion de mes traductions de la Bible et du Coran, j'ai été l'un de ceux qui ont inventé le mot *matriciel* comme attribut fondamental du Dieu créateur. De même que je suis heureux d'avoir rendu le Nom universel, je suis heureux d'avoir rendu à notre Dieu son attribut fondamental qui est celui d'être une femme créatrice. Seule une matrice peut accoucher de la Création : le Créateur ne peut donc être que matriciel.

La chrétienté marche dans cette voie sans doute par référence à la Vierge Marie et aux saintes. Nos sociétés modernes ont édicté des droits de la femme, mais la réalité nous rappelle combien il est dur de les faire respecter. Dans les faits, le machisme latent empêche de briser ce mur. L'homme tarde à reconnaître la femme comme une véritable égale.

Cette reconnaissance se fera par la capacité de l'homme nouveau, et de la femme nouvelle, à s'ouvrir à l'androgynie. L'androgynie permettra les retrouvailles en une fusion originelle de l'Homme et de la Femme. La Bible nous enseigne que le premier être, *Adam Kadmon*, était androgyne. Du grec *androgunos*, ce terme est l'union des mots *aner, andros*, « l'homme », et de *gunê*, « la femme ». L'amour est la recherche de l'union et de l'unité de ces deux complémentarités.

Juif, chrétien ou musulman, l'homme nouveau vit dans la conscience du salut de l'humanité dans le message divin. Israël, « écharde dans la chair des nations » selon saint Paul, en atteste : grâce à l'observance de la parole divine, le peuple hébreu a traversé les siècles et survécu aux empires. Les civilisations babyloniennes ou romaines ne sont plus aujourd'hui que des ruines : Israël vit et fleurit à nouveau. Ce miracle, celui de la Promesse divine, annonce-t-il l'accomplissement des temps messianiques et prophétiques où l'amour divin descendra sur terre pour illuminer une humanité unifiée et pacifiée ? Aujourd'hui même le Message s'offre de nouveau aux hommes : notre époque est celle du choix de renouveler notre adhésion à la loi et à l'amour divins. La Vie et la Mort sont devant nous : nous vivrons si nous choisissons la Vie, I$^{\text{Adonaï}}_{\text{HV}}$H.

Le retour à la source abrahamique ne conduit pas à un quelconque syncrétisme ou à l'abolition de la croyance de chacun mais à une ouverture sur l'autre et à la reconnaissance de l'essence qui fonde nos religions, nous appelant à en réaliser l'ordre. Libre à chacun de célébrer Dieu comme il l'entend s'il respecte notamment les Dix Paroles données à Moïse, source de notre unité et de la persistance de l'humanité. Les principes de Vie et d'Amour sont contenus dans le message du Sinaï : Évangiles et Coran le confirment et le développent. Aujourd'hui, l'humanité peut trouver son salut dans l'unité de ses diversités, car à l'image de son Créateur, elle est *une et multiple*. Les religions portent toutes en elles ce même message. Fondamentalement, elles ne sont pas les instruments de division et de pouvoir qu'ont pu en faire les hommes. Elles naissent toutes de l'Alliance entre I$^{\text{Adonaï}}_{\text{HV}}$H et l'humanité. Les prophètes, depuis toujours, nous rappellent sans cesse la nécessité de vivre dans l'Amour, selon la Loi.

Le retour à la source, à l'unité et à l'amour divin, symbolisé par la rose de Jérusalem, est la réponse aux tourments de l'humanité moderne. Colette de Callataÿ Van der Mersch conclut dans son ouvrage *La rose de Jérusalem* que ce diagramme que l'on trouve dans les vitraux de la cathédrale de

Chartres « est probablement le *mandala* le plus complet qui soit, car [il] véhicule la métaphysique universelle selon le génie propre aux trois traditions qui ont instruit l'Occident. La métaphysique est la connaissance qui sonde la relation du fini et de l'Infini, du divisible et de l'Indivisible, du créé et de l'Incréé, du relatif et de l'Absolu, du temporel et de l'Éternel [...]. L'Occident venu pour reconquérir les Lieux saints a pris conscience à Jérusalem de l'Unité transcendantale des Traditions reliées à un principe supérieur. » Nous partageons tous la même origine dans ce *principe supérieur*. Partager, c'est *prendre part ensemble*.

L'exacerbation et la contemplation de nos différences, la division et le repli sur soi sont des pièges mortels pour le nouvel âge dans lequel entre l'humanité. Le feu de l'Alliance brûle pour nous tous et en nous tous. Désunir ce qui a été uni est rejeté de toutes les religions. Et le Créateur a fondamentalement uni l'humanité : il n'est pas d'homme qui n'ait été créé à Son image. Se différencier d'un homme, c'est se différencier de I$\overset{\text{Adonaï}}{\text{HV}}$H, c'est refuser l'Alliance.

Notre monde est et sera à l'image des relations que nous entretenons les uns envers les autres. Cette relation se nourrit de la relation de chacun à soi, dans la transcendance. Celui qui trouve excuse pour ne pas aimer de manière pure et sincère le plus humble des êtres, fût-il son ennemi, ne peut prétendre adorer I$\overset{\text{Adonaï}}{\text{HV}}$H. Le haineux adore Satan. Satan est avant tout *le diviseur*. Chacun doit regarder plus profondément à l'intérieur de l'essence des choses. Il faut atteindre à la mystique des faits afin qu'ils ne nous piègent pas. L'homme a divisé car sa foi en l'Être n'était pas assez grande : il n'a pas cherché l'unité en l'Autre mais s'est donné prétexte des événements pour le rejeter et le combattre.

L'humanité nouvelle accède au temps de la sagesse. Elle se parle, se regarde et s'étreint avec la chaleur et la douceur du feu de l'Alliance, transmis jusqu'à elle à travers les âges. Elle y brûle ses peurs, ses haines et ses mensonges pour atteindre, espérons-le, à la vérité de l'unité dans l'amour divin, et son extase.

Le mot de la fin

Pendant la nuit de nos guerres, le feu de l'Alliance semblait définitivement éteint par l'horreur des fours crématoires. Mais l'amour ne saurait mourir : il est présent dans l'être de toute créature, de toute vie. Le choix ouvert par Moïse au Sinaï entre la vie et la mort, entre la bénédiction et la malédiction, se pose pour les hommes de notre temps. Son urgence est plus grande au regard des risques mortels qui nous assaillent et qui nous acculent à un redressement spirituel sans lequel l'avenir de l'humanité et probablement aussi celui de toute trace de vie sur notre planète risqueraient d'être définitivement compromis. Quatre bombes atomiques seraient suffisantes pour déclencher à jamais l'hiver nucléaire.

La conscience des dangers nous pousse à adhérer au réveil dont nous sommes les témoins : les nations se sont rassemblées au sein de l'ONU et de ses organes spécialisés. Les religions prennent conscience de la relativité de leurs théologies au regard des finalités qui leur sont communes, celle de la vie et de la survie de la création. La jeunesse se rassemble universellement au roulement des « tambours de la paix », animés par les poètes de nombreux pays du monde[1].

Le pèlerinage de Jean-Paul II à Jérusalem en février 2000 mettait un terme au schisme judéo-chrétien : il ressuscitait l'antique espérance d'une humanité réconciliée avec elle-même. Au seuil du mur dit « des Lamentations », le pape renouvelait l'affirmation de l'espérance prophétique et messianique d'Israël, partagée non seulement par les Églises mais par les âmes vivantes du monde entier.

Cette utopie d'une réconciliation universelle de l'humanité pacifiée conditionne l'avenir des innombrables progrès réalisés dans tous les domaines du savoir, considérés traditionnellement comme utopiques.

La réalisation de l'utopie de la fin des temps de la haine et des guerres a commencé universellement ; ses progrès n'attendent plus qu'une adhésion : la vôtre.

1. Le mouvement est parti de la Maison internationale de la poésie de Bruxelles.

Natân André Chouraqui

Éléments biographiques

Natân André Chouraqui est né à Aïn-Temouchent, en Algérie, le 11 août 1917. Son père, Isaac Chouraqui, viticulteur et négociant en céréales, président de la Communauté israélite, chevalier de la Légion d'honneur, est le descendant d'une lignée de rabbis, dont le plus notoire, Saadia (1604-1704), fils d'Élie Chouraqui, a laissé une œuvre de mathématicien, d'exégète et de poète. Sa mère, Meleha Meyer, est la fille d'Abraham Meyer, également née d'une famille originaire d'Andalousie, probablement arrivée au Maghreb à la suite des premières expulsions en 1392.

En 1921, il commence à apprendre l'hébreu et entre au jardin d'enfants tenu par les sœurs salésiennes. Il est atteint en 1923 d'une poliomyélite pendant plusieurs mois. Il retrouve, à force de soins et de volonté, l'usage de ses membres. Il gardera néanmoins des séquelles à la jambe gauche toute sa vie.

Ses études de droit le conduisent à Paris en 1935, où il entame également des études rabbiniques. Pendant la guerre, il participe activement à la Résistance dans le maquis du Centre de la France (1942-1945). Avocat, puis juge à la cour d'appel d'Alger (1945-1947), il est promu, en 1948, docteur en droit international public à l'Université de Paris.

Secrétaire général adjoint de l'Alliance israélite universelle (1947-1953), André Chouraqui en deviendra le délégué permanent, sous la présidence de René Cassin (1947-1982).

Vice-président de la commission des Organisations non gouvernementales auprès de l'UNICEF-UNAC (1950-1956), il propose et fait adopter le projet de lutte contre le trachome, programme qui a sauvé la vue de millions d'enfants dans le monde entier.

Infatigable voyageur, il a donné des conférences dans plus de quatre-vingts pays. Ambassadeur d'Israël et de la paix à travers le monde, il reste le porte-parole de la culture française en Israël, s'étant établi à Jérusalem depuis 1958, année de son mariage avec Annette Lévy (ils ont cinq enfants, Emmanuel, Élisabeth, Yaël, David et Mikhal, et dix petits-enfants).

Dès 1949, André Chouraqui avait noué des liens avec des personnalités du monde catholique, dont Mgr Tisserand et Mgr Tardini. En 1956, il est reçu par Pie XII. Cette première rencontre et celles qui suivront avec Jules Isaac, le cardinal Daniélou et Jean XXIII prépareront la voie à la déclaration *Nostra aetate*. Dans ce cadre et de ces rencontres naîtra un mouvement réunissant les adeptes des religions abrahamiques, La Fraternité d'Abraham, en collaboration avec le recteur de la Mosquée de Paris, Hamza Boubakeur, et le père Riquet.

De 1959 à 1963, il est le conseiller du président du Conseil, David Ben Gourion, pour les problèmes d'intégration des juifs originaires des pays musulmans et pour les relations intercommunautaires.

En 1965, André Chouraqui est élu vice-maire de Jérusalem, sous le mandat de Teddy Kollek. Il est chargé des affaires culturelles, des relations interconfessionnelles et internationales de la ville de Jérusalem. De 1969 à 1973, il est élu conseiller municipal et président de la commission de la Culture et des Affaires extérieures de Jérusalem.

André Chouraqui, directeur de la collection Sinaï (Presses universitaires de France), a publié en français des auteurs fondamentaux de la culture juive, tels que Luzzato, Buber, Kaufmann, Halkin, Maïmonide…

Il a été membre du tribunal de l'Organisation sioniste mondiale, président fondateur de l'Alliance française à Jérusalem, président du Comité interconfessionnel à Jérusalem, président de l'Institut israélien du film (Fondation Reginald Ford) et président du Mouvement pour une Confédération proche-orientale.

En qualité de membre du comité exécutif du Congrès mondial des religions pour la paix, André Chouraqui prend une part active dans les mouvements interconfessionnels et milite pour le développement de l'amitié entre juifs, chrétiens et musulmans.

Outre ses nombreuses conférences, il a rédigé des centaines d'articles dans la presse mondiale, écrit plusieurs livres sur les problèmes politiques et spirituels soulevés par la résurrection de l'État d'Israël. Universelle dans son essence, son œuvre s'étend à divers domaines, tels que la poésie et le théâtre, la philosophie et la fiction, l'histoire et la sociologie, le droit, et plus particulièrement la traduction et l'exégèse de l'Ancien et du Nouveau Testament et du Coran.

Ses œuvres, traduites en seize langues, ont obtenu de nombreux prix littéraires : la médaille d'or du Prix de la langue française, décernée par l'Académie française (1977), deux prix de l'Académie des sciences morales et politiques, le prix de la Fondation Zadoc Kahn (1952), le prix Audifred (1959), Louis Marin (1966), Sévigné (1970), le prix Henri Hertz de la Sorbonne (Paris, 1991) et le prix Léopold Lucas de l'Université évangélique de Tübingen (Allemagne, 1993). En outre, en 1992, il est fait docteur *honoris causa* de l'Université catholique de Louvain (Belgique). Le 12 décembre 1995, à l'Institut de France, le prix Louise Weiss lui sera remis par M. Jean Leclant, secrétaire perpétuel de l'Académie des inscriptions et belles-lettres. En 1995, il reçoit le prix Méditerranée pour *Moïse*. Le prix Renaudot Essai lui est décerné en 1997 pour *Jérusalem, une ville sanctuaire* ; en 1999, le prix international pour le dialogue entre les univers culturels décerné par la Fondation Giovanni Agnelli.

André Chouraqui a été nommé commandeur de l'Ordre national de la Légion d'honneur en 1994, commandeur des Arts et des Lettres (France, 1996), officier de l'Ordre national de Côte-d'Ivoire (1970), Combattant contre le nazisme et Combattant pour la renaissance de la Nation (deux décorations israéliennes), citoyen d'honneur de la ville de Jérusalem (1996) (Yakir Yérushalaïm).

André Chouraqui s'est surtout fait mondialement connaître par ses traductions et ses commentaires en français des textes fondamentaux des religions monothéistes : la Bible, le Nouveau Testament et le Coran. Ainsi, parti d'Algérie et de France, a-t-il fait de sa route un lieu de convergence des peuples et de leurs spiritualités. Fidèle à ses racines hébraïques comme à ses origines françaises et arabes, André Chouraqui appartient à cette catégorie d'écrivains dont la pensée a, par son essence, un rayonnement universel.

ŒUVRES

Poésie

Cantique pour Nathanaël, José Corti, 1960 ; Albin Michel, 1991.
Mers et terres, Euroéditeur, 1988.
Aigles et palombes au survol de la mer, Éditions de l'Eau, 1989.

Théâtre

Procès à Jérusalem (Jésus devant ses juges), Le Cerf, 1980.

Essais

La création de l'État d'Israël, thèse de doctorat en Droit, Université de Paris, novembre 1948.
La condition juridique de l'israélite marocain, préface de René Cassin, Paris, 1950.
Théodore Herzl, inventeur de l'État d'Israël, Le Seuil, 1960 ; Robert Laffont, 1991.
L'Alliance israélite universelle et la Renaissance juive contemporaine, 1860-1960, PUF, 1965.
Les Juifs, dialogue avec le cardinal Jean Daniélou, Beauchesne, 1966.
Lettre à un ami arabe, Mame, 1969 (prix Sévigné) ; J.-C. Lattès, 1994.
Lettre à un ami chrétien, Fayard, 1971.
Lettres à André Chouraqui, Yvonne Jean, Éd. du Rocher, 1997.
Vivre pour Jérusalem, Desclée de Brouwer, 1973.
Ce que je crois, Grasset, 1979 ; 1985.
Retour aux racines, entretiens avec Jacques Deschanel, Le Centurion, 1981.
Histoire des juifs en Afrique du Nord, Hachette, 1985 ; Éditions du Rocher, 2 t., 1998.
La vie quotidienne des hommes de la Bible, Hachette, 6e éd., 1986.
Jésus et Paul, fils d'Israël, Éditions du Moulin (Suisse), 1988.
La reconnaissance : le Saint-Siège, les juifs et Israël, Robert Laffont, 1992.
Moïse, Éditions du Rocher, 1995 (prix Méditerranée).
Histoire du judaïsme, Que sais-je ?, PUF, 11e éd., 1995.

La pensée juive, Que sais-je ?, PUF, 7e éd., 1997.
L'État d'Israël, Que sais-je ?, PUF, 11e éd., 1998.
Jérusalem revisitée, Éditions du Rocher, 1995.
Jérusalem, une ville sanctuaire, Éditions du Rocher, 1997 (prix Renaudot Essai).
Les dix commandements aujourd'hui, Robert Laffont, 2000.

Récits

Ton étoile et ta croix, Éditions du Rocher, 1998.
L'amour fort comme la mort, Robert Laffont, 1990 ; Éditions du Rocher, 1998.

Traductions

Les devoirs du cœur de Bahya ibn Paqûda, Desclée de Brouwer, 1950-1972.
Le Cantique des cantiques, Desclée de Brouwer, 1950.
Les Psaumes, PUF, 1956.
Les Psaumes et *Le Cantique des cantiques*, avec des préfaces de Jacques Ellul, André Néher et René Voillaume, PUF, 1970 et 1974.
La Bible hébraïque et le Nouveau Testament, Desclée de Brouwer, 26 vol., 1974-1977 (ouvrage couronné par l'Académie française, médaille d'or du Prix de la langue française).
L'univers de la Bible, Brépols-Lidis, 10 t., 1982-1989.
Un pacte neuf, Brépols, 1984.
La Bible, Desclée de Brouwer, 1985-1989.
Le Coran, traduction et commentaires, Robert Laffont, 1990.
Le Pentateuque et les quatre Évangiles, traduits et commentés, J.-Cl. Lattès, 1993.
La couronne du Royaume de Salomon Ibn Gabirol, Fata Morgana, 1997.
80 lettres d'Abraham Meyer, traduites du judéo-arabe, Jérusalem, 1998.
CD-ROM de la Bible – Ancien et Nouveau Testaments – et du Coran avec commentaires, Genève, 1999.

Table des matières

Cet ouvrage
a été transcodé
et achevé d'imprimer
sur Roto-Page
en mai 2001
par l'Imprimerie Floch
53100 – Mayenne.

Dépôt légal : mai 2001.
N° d'imprimeur : 51131.
N° d'éditeur : 2243.

Imprimé en France.